文春文庫

勉強の哲学

来たるべきバカのために　増補版

千葉雅也

文藝春秋

勉強の哲学　来たるべきバカのために　増補版

目次

第一章　勉強と言語——言語偏重の人になる

第二章　アイロニー、ユーモア、ナンセンス

第三章　決断ではなく中断

第四章　勉強を有限化する技術

勉強《べんきょう》の哲学《てつがく》

来《き》たるべきバカのために

増補版《ぞうほばん》

はじめに

この本は、勉強が気になっているすべての人に向けて書かれています。

英語を勉強してもっと海外に行きたいとか、経済や文化に詳しくなって企画を考えるのに活かしたいとか、定年が間近に迫り、哲学や宗教を学び直してみたいとか、勉強と一口に言ってもさまざまなニーズがあるでしょう。そこで、この本では、もうちょっと「深く」勉強してみることへとお誘いしたいのです。根本的に、「勉強とはどういうことか？」を考えてみませんか。

軽い気持ちの勉強のつもりで、実は、明日からの自分をもっと変えてみたいと考えているのかもしれない。変身するような勉強を心のどこかで求めているのかもしれない。

それにしても今日ほど、勉強するのに良い時代はないいんじゃないかと思うのです。何か気になったら、すぐインターネットで検索して学び始めることができる。

ネットの記事は、ウィキペディアなども含めて、情報の信頼性を疑ってかかる必要がありますが、その一方で、公式の統計資料や、査読（専門家による内容の審査）された論文など信頼性が担保されたものも多くあり、そういうものならば本格的な勉強の材料になります。

また今日では、良い入門書がたくさん出版されています。第一線の専門家が、ひじょうにわかりやすく解説を書いてくれるようになった。ネットの記事でも紙の本でも、現代ではとにかく読みやすさが工夫されています。昔の本は、入門書だとしてもいまほど親切ではありませんでした。いまでは、最初の一歩として読みやすいものから始め、それから難しいもの、昔のものにチャレンジするというふうに段階を踏んで勉強を進められるようになっています。

外国語学習の環境も昔とはぜんぜん違いますね。英語のニュースを読んでいて、単語を押せばすぐに辞書を引ける。作文のときも、ネイティブが使う本物の表現を検索して確かめられる。ゲーム感覚で初歩から少しずつ表現を学ぶことができるアプリもあります。

こんな状況は、僕が九〇年代末の学生時代に夢見ていたものです。

現代は、まさしく「勉強のユートピア」なのです。

しかしまた、情報が多すぎることで考える余裕を奪われているとも言えるでしょう。

二〇〇〇年代の末に、ＳＮＳとスマートフォンは生活を劇的に変えました。

今日、スマホを持ち歩く私たちは、どこにいてもネットの「情報刺激」にさらされ、気が散っている。過剰な量の情報が、光や音の連打のように、深く考える間もなくどんどん降り注いでくる。ＳＮＳに次々流れてくる話題に私たちは、なんとなく「いいね」なのか、どうでもいいのか、不快なのかと、まず感情的に反応してしまう。すぐに共感できるかどうか。

共感、それは言い換えれば、集団的なノリです。思考以前に、ノれるかどうかなのです。

いま、立ち止まって考えることが難しい。

溢れる情報刺激のなかで、何かに焦点を絞ってじっくり考えることが難しい。

本書では、そうした情報過剰の状況を勉強のユートピアとして積極的に活用し、自分なりに思考を深めるにはどうしたらいいかを考えたいのです。

そこで、キーワードになるのが**「有限化」**です。

ある限られた＝有限な範囲で、立ち止まって考える。無限に広がる情報の海で、次々に押し寄せる波に、ノリに、ただ流されていくのではなく。「ひとまずこれを勉強した」と言える経験を成り立たせる。**勉強を有限化する。**


本書は、「勉強しなきゃダメだ」、「勉強ができる＝エラい」とか、「グローバル時代には英語を勉強しなきゃ生き残れないぞ」とか、そういう脅しの本ではありません。

むしろ、真に勉強を深めるために、変な言い方ですが、**勉強のマイナス面を説明することになるでしょう。**勉強を「深めて」いくと、ロクなことにならない面がある。そういうリスクもあるし、いまの生き方で十分楽しくやれているなら、それ以上「深くは勉強しない」のはそれでいいと思うのです。

生きていて楽しいのが一番だからです。


それに、そもそもの話として、全然勉強していない人なんていません。

生きていくのに必要なスキルは、誰でも勉強します。読み書き、計算が基本ですね。

稼ぐには仕事のスキルを覚えなきゃならない。人づきあいがわかってくるのだって勉強です。転職したら、また別のスキルの勉強をすることになる。
人は、「深くは」勉強しなくても生きていけます。

深くは勉強しないというのは、周りに合わせて動く生き方です。状況にうまく「乗れる」、つまり、ノリのいい生き方です。それは、周りに対して共感的な生き方であるとも言える。

逆に、「深く」勉強することは、流れのなかで立ち止まることであり、それは言ってみれば、「ノリが悪くなる」ことなのです。

深く勉強するというのは、ノリが悪くなることである。

いまの自分のノリを邪魔されたくない、という人は、この本のことは忘れてください。それは、ひとつの楽園にいるということです。そこから無理に出る必要はありません。勉強は、誰彼かまわず勧めればいいというものじゃありません。

もし、何か生活に変化を求めていて、しかも、これまでのようにはノれなくなる方法にそれでも興味があるならば、ぜひこの先を読んでみてください。

これから説明するのは、いままでに比べてノリが悪くなってしまう段階を通って「新

しいノリ」に変身するという、時間がかかる「深い」勉強の方法です。

勉強を深めることで、これまでのノリでできた「バカなこと」がいったんできなくなります。「昔はバカやったよなー」というふうに、昔のノリが失われる。全体的に、人生の勢いがしぼんでしまう時期に入るかもしれません。しかし、その先には「**来たるべきバカ**」に変身する可能性が開けているのです。この本は、そこへの道のりをガイドするものです。

勉強の目的とは、これまでとは違うバカになることなのです。

その前段階として、これまでのようなバカができなくなる段階がある。

まず、勉強とは、獲得ではないと考えてください。

勉強とは、喪失することです。

これまでのやり方でバカなことができる自分を喪失する。

これまでと同じ自分に、英語力とか何か、スキルや知識が付け加わるというイメージで勉強を捉えているのなら、勉強を深めることはできません。

単純にバカなノリ。みんなでワイワイやれる。これが、第一段階。

いったん、昔の自分がいなくなるという試練を通過する。これが、第二段階。

しかしその先で、来たるべきバカに変身する。第三段階。


いったんノリが悪くなる、バカができなくなるという第二段階を経て、第三段階に至る。すなわち、来たるべきバカの段階、新たな意味でのノリを獲得する段階へと至る。

本書を通して、ノリという言葉の意味は、最終的に変化します。

バンドで演奏するときのような、集団的・共同的なノリから出発し、そこから分離するようなノリへと話を進めていく。それは「**自己目的**」なノリである。


本書は、「原理編」から始まって「実践編」へと移ります。第一・二・三章が「原理編」の1・2・3、第三・四章が「実践編」の1・2という構成です。第三章は、両方の役割をもつ中継地点となります。

では、始めましょう。ともかくいったんは、ノリが悪くなることへ。

第一章　勉強と言語——言語偏重の人になる

勉強とは、自己破壊である

まずは、これまでと同じままの自分に新しい知識やスキルが付け加わる、という勉強のイメージを捨ててください。むしろ勉強とは、これまでの自分の破壊である。そうネガティブに捉えたほうが、むしろ生産的だと思うのです。

多くの人は、勉強の「破壊性」に向き合っていないのではないか？

勉強とは、自己破壊である。

では、何のために勉強をするのか？

何のために、自己破壊としての勉強などという恐ろしげなことをするのか？

それは、「自由になる」ためです。

どういう自由か？　これまでの「ノリ」から自由になるのです。

私たちは、基本的に、周りのノリに合わせて生きている。会社や学校のノリ、地元の友人のノリ、家族のノリ……そうした「環境」のノリにチューニングし、そこで「浮かない」ようにしている。日本社会は「同調圧力」が強いとよく言われますね。「みんなと同じようにしなさい」――それは、つまり「ノリが悪いこと」の排除です。「出る杭は打たれる」のです。

しかし、勉強は、深くやるならば、これまでのノリから外れる方向へ行くことになる。ただの勉強ではありません。深い勉強なんです。それを本書では、「ラディカル・ラーニング」と呼ぶことにしたい。ラディカルというのは「根本的」ということ。自分の根っこのところに作用する勉強、それを、僕にできる限りで原理的に考えてみたいのです。

私たちは、同調圧力によって、できることの範囲を狭められていた。不自由だった。その限界を破って、人生の新しい「可能性」を開くために、深く勉強するのです。

けれども、後ろ髪を引かれるでしょう——私たちは、なじみの環境において、「その環境ならではのことをノってやれていた」からです。ところが、この勉強論は、あろうことか、それをできなくさせようとしている——勉強によってむしろ、能力の損失が起こる。

一般に、もの知りになると、大胆なことがやりにくくなる。

「昔はバカやったよなー」という遊びが、できなくなってしまう。かつては、仲間内の「ただのノリ」でバカをやるのは素朴に楽しかった。その後、成熟して、可能性をさまざまに考えられるようになると、「狭い世界にいたんだな……」と気づいてしまう。しかし、狭い世界だったからこそ、エネルギーを圧縮して爆発させるようなバカができたのかもしれない。

あるいは、お笑いの技術を勉強してネタの自由度が広がると、十分おもしろかったはずのネタがありがちなパターンにすぎないとわかってしまい、笑えなくなる。

自己流で歌っていたときの荒削りだからこその迫力が、一念発起してまじめにボーカルレッスンを受け始めたら、だんだん失われてしまった。

こんなふうに、**勉強は、むしろ損をすることだと思ってほしい。**

勉強とは、かつてのノっていた自分をわざと破壊する、自己破壊である。

言い換えれば、勉強とは、わざと「ノリが悪い」人になることである。

そんなことに踏み出したいと思ってもらえるでしょうか?

いまの生活でそれなりに楽しくやれている人は、ノリをわざわざ壊す勉強なんてまっぴらゴメンだ、と思うかもしれません。ならば、本書は不要なのだと思います。

本書は、無理に勉強を強いるものではありません。

人生においては、ときに、紆余曲折を経てたどりついたある局面が、「完成した」局面のようになることがある、と僕は思っています。そうなったら、微調整しながら、大きくは生き方を変えずに長くやっていきたい人もいるでしょう。

それに、不自由であることは必ずしも悪いことではない。むしろ、まさしく不自由が、縛りが、快楽の源泉になる。これは人間のすごいところです。嫌なことを最低限にでも楽しもうとしてしまう——これを、精神分析学では「マゾヒズム」と呼びます。人間は、根本的にマゾなんです。

完全な自由はありえません。私たちはいつでも、周りから課される制約のなかで、不自由をマゾヒズム的に耐えながら＝楽しみながら、生きている。不自由のなかで、なんとかサバイバルする。自分のこの人生は運命的なんだ、気合いでやるしかない、という信念が支えになるときもあるでしょう……それは、良い悪いの以前に、マゾヒズムであると言える。いわゆる「根性論」とは、強力なマゾヒズムにほかならない。

しかし、あるとき、「別の可能性」を考えたくなるかもしれません。考えざるをえなくさせる出来事が、何か起きるかもしれない。マゾヒズムにも限度があるでしょう。限度を超えたストレスを受け続けているなら、どこかへ避難すべきです。しかし繰り返しますが、完全な自由はありえません。だから、どれほど苦しくて、自由を求めて逃げ出しても、それは「耐えられる範囲で不自由であるような別の環境」への引っ越しをすることでしかありません。

私たちは、あるマゾヒズムから、別のマゾヒズムへと渡り歩く――。

ともかく、この勉強論は、現時点で生活を変える可能性が気になっている人に向けられています。それは、何かモヤモヤした願望だったり、あるいは、不満や疎外感のようなネガティブな形のこともあるでしょう。

自由になる、可能性の余地を開く

自由になるということ。それは、いまより多くの可能性を考え、実行に移せるような新しい自分になるということです。新たな行為の可能性を開くのです。そのために、これまでの自分を（全面的にではなくても）破壊し、そして生まれ直すのです。第二の誕生です。

会社や家族や地元といった「環境」が私たちの可能性を制約している、と考えてみる。生きることは、環境から離れては不可能です。私たちはつねに、何かの環境に属している。特定の環境にいるからこそできることがあり、できないことがある。圧縮的に言えば、私たちは「**環境依存的**」な存在であると言える。

概念を定義しながら、話を進めていきましょう。まず、「環境」と「他者」から。

本書では、「**環境**」という概念を、「ある範囲において、他者との関係に入った状態」という意味で使うことにします。シンプルには、**環境＝他者関係**です。小さい規模では、「恋愛関係」や「中学時代の仲間内」も、環境として捉えてください。大きなものでは、「日本社会の全体」や「インターネットの世界」、「グローバル市場」などもそうです。

「**他者**」とは、「自分自身ではないものすべて」です。普通は「他者」と言うと、他の人間＝他人のことですが、それより意味を広げてください。親も恋人も、知らない人も、リンゴやクジラも、高速道路も、シャーロック・ホームズも、神も、すべて「他者」と捉えることにします。こういう「他者」概念は、とくにフランス現代思想において見られる使い方です。

環境的な制約＝他者関係による制約から離れて生きることはできません。

環境のなかで、何をするべきかの優先順位がつく。環境の求めに従って、次に「すべき」ことが他のことを押しのけて浮上する。もし「完全に自由にしてよい」となったら、次の行動を決められない、何もできないでしょう。環境依存的に不自由だから、行為ができるのです。

「何でも自由なのではない、可能性が限られている」ということを、ここまで「不自由」と言ってきましたが、今後は、哲学的に「有限性」と言うことにしましょう。逆に、「何でも自由」というのは、可能性が「無限」だということです。

無限 vs. 有限、この対立が、本書においてひじょうに重要になります。

無限の可能性のなかでは、何もできない。行為には、有限性が必要である。

私たちの課題は、有限性（＝不自由）とのつきあい方を変えることです。有限性を完全に否定するのではありません。有限性を引き受けながら、同時に、可能性の余地をもっと広げるという、一見矛盾するようなことを考えたいのです。

有限性とつきあいながら、自由になる。

まずは抽象的にそう言わせてください。おいおいその意味は明らかになります。

目的、環境のコード、ノリ

日々の行動は、深く考えなくてもできるように習慣化されているものです。会社や学校といった環境のなかで、他者への対応がスムーズに、無意識的にできるようになっている。環境には「**こうするもんだ**」がなんとなくあって、それをいつのまにか身につけてしまっている。

「こうするもんだ」は、環境において、何か「**目的**」に向けられています。メールの書き方の「こうするもんだ」は、好感を与えるという目的のためであり、そしてそれは「利益を上げる」という会社全体の目的につながっている。**環境には目的がある。**

恋愛関係であれば、「関係を長く維持する」という目的に向けて、ＬＩＮＥのメッセージをどう書いたらいいかとか、コミュニケーションの「こうするもんだ」があるわけです。

周りに合わせて生きているというのが、通常の、デフォルトの生き方です。

私たちは環境依存的であり、環境には目的があり、環境の目的に向けて人々の行為が連動している。**環境の目的が、人々を結びつけている＝「共同化」している。**

そこで、次のように定義しましょう。

環境における「こうするもんだ」とは、行為の「目的的・共同的な方向づけ」である。それを、環境の「コード」と呼ぶことにする。

言い直すと、「周りに合わせて生きている」というのは、環境のコードによって目的的に共同化されているという意味です。

これは、強制的な事態なのです。なんとなく深く考えずに生きている状態では、その強制性を意識できていないかもしれません。あるいはそれに嫌気を感じている場合もあるでしょうが、私たちはなんとか生き延びるために、周りに合わせて「しまって」いるものです。

会社なり学校なりのコードに合わせてしまっている。習慣的に、または中毒的に、「こういうもんだ」と、ある特殊なしゃべり方や動きをしてしまう。そういう状態は、ある環境において、いかにもその環境の人らしく「ノっている」ということである。

環境のコードに習慣的・中毒的に合わせてしまっている状態を、本書では、ひとことで「**ノリ**」と表すことにしましょう。

ノリとは、環境のコードにノってしまっていることである。

流れるように「コード的に行為できる」のが、「ノリがいい」わけです。逆に、コードにそぐわない行為を「やらかして」しまうのは、「ノリが悪い」ということである——ならば、周りから「浮く」ことになります。さらには、異分子として排除されることもありうる……。

ノリは、残酷なことに、「ノリが悪い」と見なされることの排除」と表裏一体です。

本書では、ノリという言い方をまず、環境への「適応」、「順応」という意味で使います。しかし、「ノリがいい人」と言うと、周りに合わせているというより、一人で妙に「高いテンション」になっているという意味のこともあるでしょう。その場合には、おそらく何か過剰なものが感じとられている。ほとんど一人で勝手に楽しんでいるような、周りを置いてきぼりにしているようなテンション——本書は後に、そのようなノリ、「脱共同的」で「自己目的的」なノリを問題とすることになります。しかしまずは、ノリという言い方は、そうした意味では使わないことにさせてください。

環境が変われば、コードが変わるので、ノリが変わる。

会社のノリと、中学時代の仲間で飲み会をするときのノリは違いますね。同じ会社のなかでも、違う部署には違うノリがあったりする。

私たちは、環境によって別の顔を見せる——これは、「キャラを使い分ける」と言われたりしますが、「使う」というより、キャラが「変わる」の方がふさわしいでしょう。外から影響されていない「裸の自分」なんて、あるでしょうか？　私たちはつねに、他者との関係で「そういうノリの人」なのであって、他者から自由な状態なんてあるでしょうか？

自分は環境のノリに乗っ取られている

私たちは、いつでもつねに環境のノリと癒着しているはずです。

会社のノリ、育った家族のノリ、地元のノリ……自分にとってとくに支配的なノリもあるでしょう。たとえば、中学時代の仲間内のノリが何をするのでもベースになっていて、その延長線上にいまの仕事のやり方もある、というような。

たいていは、環境のノリと自分の癒着は、なんとなくそれを生きてしまっている状態であって、分析的には意識されていない。

なんとなく、ノっている……その状態では、何をするのが良いとされているのか、何をしたらダメだとされているのか、というように、背後にあるコード＝「こうするもんだ」を、退《ひ》いて客観視することができていません。しかし、いかなるコードも、普遍的なものではないのだと気づいてほしいのです。特定の環境の「お約束」にすぎません。そういう意識を通常は十分にもっていない。刷り込まれた「こうするもんだ」を、他にやりようがないみたいに思い込んでいたりする。すっかり「その会社の人」とか「その地元の人」になっている。

自分は、環境のノリに、無意識的なレベルで乗っ取られている。

ならば、どうやって自由になることができるのでしょう？

丁寧に考える必要があります。というのも、環境から完全に抜け出すことはできないからです。完全な自由はないのです。ならば、どうしたらいいのか。そこで、次のように考えてみるのはどうでしょう——環境に属していながら同時に、そこに「距離をとる」ことができるような方法を考える必要があるのだ、と。

その場にいながら距離をとることを考える必要がある。

このことを可能にしてくれるものがある。

それは「**言語**」です。どういうことでしょうか？

自分とは、他者によって構築されたものである

不満や苦しみがあっても、そこから抜け出そうと何かを始めるのは難しいことです。一度できあがった生活習慣は、ひじょうにしぶとい。根本的な心理として、可能なかぎり何でも「痛《いた》気持ちいい」ものとしてマゾヒズム的に耐えてしまおうとする傾向がある。極端には、ここでこうして生きているのは自分の運命だ、と捉えて耐え忍んでしまうかもしれない。

生《せい》とは、他者と関わることです。純粋にたった一人の状態はありえません。外から影響を受けていない「裸の自分」など、ありえません。どこまで皮を剥いても出てくるのは、他者によって「作られた＝構築された」自分であり、いわば、自分はつねに「着衣」なのです。

自分は「他者によって構築されたもの」である。

この肉体は、両親、さらに前の世代の遺伝子がシャッフルされたものです。遺伝的な傾向があった上で、成長過程において他者と関わりながら、考え方や好き嫌いができていく。たとえば、サッカー観戦が好きだとして、それは必ずしもひとりでにそうなった

わけではない。それが「他者依存的」に構築された好みであることを、やろうと思えば、ある程度は客観視できるでしょう。父親が週末はサッカー観戦をしていたから自分もいつしか好きになっていた、などの事情がある。また、人間だけでなく、物理的環境や架空のキャラクターなど、広い意味での他者たちが自分の構築に関わっています。

裸の自分などないというのは、注意してほしいのですが、「個性」がないということではありません。私たちは個性的な存在です。しかし、一〇〇％自分発の個性はない。個性とは、私たちひとりひとりが「どういう他者とどのように関わってきたか」の違いなのです。個性は、他者との出会いで構築される。自分の成分としての他者が、自分の「欲望」や「享楽」の源泉になっている（このことは、第二章で説明します）。私たちは個性的だが、個性とは「他者依存的」なものである——本書では、この考え方をつねに念頭に置いてください。

そして、言語という存在。

言語を使えている、すなわち「自分に言語がインストールされている」のもまた、他者に乗っ取られているということなのです。

「リンゴ」でも「これは美しい」でも、当たり前ですが、言語は自分自身ではない。言語は他者です。そして言語は、周りの他者（これは「他人」の意味）からインストール
されたものです。他者が言葉をどう使うかを真似ることで、言語習得をしたわけです。
言語は、自分が生まれる以前からの「**用法**」を真似するという形でインストールされ
た。同様に、すべての他者もまた、他者による用法を真似して、言語を使えるようにな
っている。

そういう言語習得の過程で私たちは、他者から、ものの考え方の基本的な方向づけを
受けてしまいます。たとえば、何を「美しい」と言うのか、何が「遊び」であり何がそ
うでないのか……育った環境によって、用法＝意味の範囲が異なりますね。
大げさに思うかもしれませんが、言葉のニュアンスの違いには、何か偏《かたよ》った価値観
（イデオロギー）が含まれていると捉えるべきです。
すなわち、言語は、環境の「こうするもんだ」＝コードのなかで、意味を与えられる
のです。だから、言語習得とは、環境のコードを刷り込まれることなのです。言語習得
と同時に、特定の環境でのノリを強いられることになっている。

言葉の意味は、環境のコードのなかにある。

言葉は、実際に使われて初めて意味をもつ。本書は、こうした言語観を前提にして話を進めます。これは、ウィトゲンシュタインという哲学者の考えにもとづいています。国語辞典に載っているのは、言葉の「本当の意味」ではありません。載っているのは、代表的な用法です。辞典とは、人々が言葉をどう使ってきたのかの「歴史書」なのです。

言語習得とは、ある環境において、ものをどう考えるかの根っこのレベルで「洗脳」を受けるようなことなのです。これはひじょうに根深い。言葉ひとつのレベルでイデオロギーを刷り込まれている、これを自覚するのはなかなか難しいでしょう。だから、こう言わねばならない。

言語を通して、私たちは他者に乗っ取られている。

言語の他者性、言語的なヴァーチャル・リアリティ

それにしても、言語とは不思議な存在です——。言語は、物質的なモノのように触れることはできない、でも、独特のあり方で存在していて、強力に人生を左右するものです。

この「言語の存在」とは何なのかを考えてみましょう。

スケールのデカい話になりますが、人間にとって「世界」は二重になっている。

普通に考えて、リアルに存在するのは、モノ＝物質の世界です。物質的な現実です（ここからは、「物質的」な現実を、たんに「現実」と言うことにします）。

そこに、もうひとつの次元として、言語の世界が重なっている。

「リンゴ」のように、普通に使う言葉は、現実に根ざしている。「リンゴ」は、現実のあの赤くて甘酸っぱい、手のひら大の果物を指す名前である。私たちは、言語と現実を結びつけて思考し、行為する。

しかし言語には、現実に縛られない独自の自由もあります。

たとえば、テーブルの上にリンゴがあっても、た、ん、に、言葉として、「リンゴは箱のなかにある」と、非現実的なことを言うこともできる。「ここにはクジラがいる」と言うことさえできる。

何でも「言えるには言える」わけです。

言語はそれだけで架空の世界を作れる。だから、小説や詩を書くことができる。先ほどの「リンゴ」は現実に根ざした普通の言葉ですが、何を指すのでもないたんなる言葉を作ることもできる——「リゴンゴン」とか。さらには、論理的にありえないことまで

「言えて」しまう——「リンゴはクジラだ」とか、「丸い四角形」とか。

こうした言語の自由さに、あらためて驚いてほしいのです。

言語能力は、現実的に行為しながら身につけていきますが、言語それ自体は、行為から切り離して使うことができる。要は、「言葉遊び」ができるということです。

言葉遊びは、言語を「それ自体」として取り扱うから、できるのです。

このことに十分注意を向けてください。言葉は、レゴ・ブロックで何かを作るように、どうにでも遊びで組み合わせることができる。

言語それ自体は、現実から分離している。

言語それ自体は、現実的に何をするかに関係ない「他の」世界に属している。

このことを、「言語の他者性」と呼ぶことにしたい。すなわち言語とは、「現実まるごとに対する他者」なのです。あるいは、リアルなモノに対し、言語は「ヴァーチャル」な存在であると言ってもいいでしょう。ヴァーチャルな存在としての言語が、現実まるごとに対する他者として現実から分離しているのです。

言語の他者性（言語は現実から分離している）のために、現実と言語の「唯一正しい」対応関係はないということになる。だから、環境によって言葉の意味が変わるのです。

そして、これがひじょうに重要ですが、まさしく同じ原理＝言語の他者性（言語は現実から分離している）によって、言葉の、ある環境での偏った意味づけは必然的ではなく、いつでもバラすことができる、別の意味づけの可能性がつねに開かれている、ということになります。

いいでしょうか。つまり、言語の他者性は、環境による洗脳と、環境からの脱洗脳の、両方の原理になっている。ここが核心なんです。ここに狙いを定めるのです。

さらに話を深めたい。私たち人間は、（物質的）現実そのままを生きてはいません。言語というフィルターをつねに通している。というか、「言語によって構築された現実」を生きている。あるいは、次のように言い換えられるでしょう。

人間は「言語的なヴァーチャル・リアリティ（VR）」を生きている。

最近話題になっていますが、VRとは「仮想現実」で、コンピュータによって作られた映像と音の世界を生々しく体験させる技術です。ヘッドセットをつけて、三六〇度ぐるっとCGに入り込めるものが流行り始めています。それに似て、人間は、周りをCGで囲まれるように、言語で囲まれているのです。

言語によって構築された現実は、異なる環境ごとに別々に存在する。言語を通してい

ない「真の現実」など誰も生きていない。

いま生きている現実は実はすべてコンピュータによって見せられていたＶＲだった、という映画の『マトリックス』みたいな話です。

環境においてノっているというのは、言語的なVRを生きているということである。

古来、西洋哲学においては、人間の人間らしさの本質は言語にあると考えてきました。本書もその伝統を引き継いでいます。人間の経験はつねに、意識的に言葉を思い浮かべてはいなくても、無意識的に言語的なコントロールを受けている。

ある環境、すなわち言語的なＶＲが、人を支配もすれば解放もする。

いわば、言葉は人間のリモコンである。

ある環境において、言葉は私たちに命令する。他の環境から見たら一線を越えたヤバい行為を命令することもあるし、過剰な禁止を強いることもある。言葉によって私たちは特定のノリに従った動きをさせられる。

しかし——言葉にはまったく逆の機能もある。ふたたび、言語の他者性の話です。言語は自由なのです。先ほどそれは、言葉遊びの自由であると述べました。さらに説明します。言葉遊びの自由とは、言葉の組み合わせによって、目の前の現実（ある言語的なＶＲ）とは別の、たくさんの可能性を考えられるということです。このことには、社会的な意義がある。

社会を成り立たせるには、立ち止まって考えることが必要です。それがなければ、行き当たりばったりで取り返しのつかないことが続いていくしかない。立ち止まって考えるというのは、言語をフル活用し、可能性を想像するということです。つまり、「もしこうならばああなるな、いや別の可能性もあるな」というふうにシミュレーションをしている。

したがって、言語は、私たちに環境のノリを強いるものであると同時に、逆に、ノリに対して「距離をとる」ためのものでもある。

さて、思い出してほしいのですが、私たちは、ある環境に「いながらにして距離をとる」方法を求めていました。この勉強論では、環境による縛りから逃れたいわけですが、しかし、完全な自由はないのだから、縛られながら逃れるようなことを考えなければならない。その答えが以上の考察で得られたのです。

私たちを縛りながら逃れさせるもの、私たちに命令しながら私たちを命令から解放するもの……それは、**人間的世界＝ヴァーチャル・リアリティを構築する言語**にほかならない。

したがって、言語の解放的な力——言語の他者性——について考えることが、自由になるための勉強論に等しいのです。

二つのノリがぶつかる狭間から、言語の世界へ

ある環境のノリから抜け出そうとする。その先で可能なのは、別のノリを身につけることです。ノリからノリへの引っ越しです。そうでしかない。何か新しい環境で、また他者依存的に生きる——別のしかたで、他者依存的に生き直すのです。そうでしかない。

勉強とは何をすることかと言えば、それは別のノリへの引っ越しである。

英語をちゃんとやれば、英語的なノリへの引っ越しが起こる。社会学をちゃんとやれば、たとえば「労働」とか「差別」の問題とか、そういうことを軸に世の中を見るというノリが身につくでしょう。犬には犬の、イルカにはイルカのものの見え方があるようにです。

ですが、もし、別の会社に転職してそこでまた慣れるのと同じように、たとえば社会学的な見方にただ慣れるというのでは、結局は、別の刷り込みをされただけじゃないのか？

そうなのです。それでは何も本質的な変化になっていないのです。

勉強とは結局、別のノリに引っ越すことですが、この勉強論で光を当てたいのは、以前のノリ1から新しいノリ2へと引っ越す途中での、**二つのノリの「あいだ」**です。そこにフォーカスするのが本書の特徴です。

二つのノリのあいだで、私たちは居心地の悪い思いをする——。

あるいは、

以前のノリ1と別のノリ2のあいだで自分が引き裂かれるような状態。

二つの環境のコードのあいだで板挟みになる。

たんに別のノリにスムーズに適応しようとするのではなく、そのときの違和感に注意する必要があるのです。二つのノリのあいだで、ある出来事が起きる——現実とは別の、ヴァーチャルな次元がきらめくのです。それは、言語の世界です。新たなことを学ぼうとするときの違和感が、言語という存在を迫《せ》り出させる。

言語の不透明性

私たち人間は、言語というフィルターを挟んで現実に向き合っています。

ですから、新たな環境では、新たな言葉のノリに慣れることが課題となる。ものの名前、専門用語、略語、特徴的な話の持っていき方……。その環境ならではの言い方をわざわざしなければならない。これまでのノリならこんな言い方＝ものの見方はしない。そういう違和感があるでしょう――「わざわざ言ってる感」がある。これがひじょうに重要です。

自分にとって不自然な言葉づかい――強調しますが、それが、新しい環境におけるものの見方を構築している――は、そう言えと言われるなら、まあ、言えるわけです。言えるには言える。が、言ってるだけだという感じ。言葉が口になじまず、「浮いた」感じがする。

ところで、本書では、自分以外のすべてを「他者」と呼ぶことにするという定義をしたのを覚えているでしょうか。この定義によれば、洗濯機でも奄美大島でも、はたまたシャーロック・ホームズでも「他者」と呼べるわけなのですが、そこまで広く「他者」という言い方をすることに違和感を覚える人は多いんじゃないかと思います。

通常は、他者と言えば、人間の他者、つまり「他人」を指す。それに、「他者」というのはだいぶ堅い言葉で、日常会話ではめったに使わないでしょう。ですが、本書では、この言い方をあえてすることで説明をシンプルにしている。「私たちは、他人だけでなく機械とか自然環境とか、架空のものとか、さまざまな『他者』との関係のなかで生きている」ということ、これを「他者との関係のなかで生きている」と短く言えるから便利なのです。

また、純粋にたった一人の状態などなく「自分は他者によって構築されている」のだ、という言い方もしました。「構築」を人間に対して使うのも違和感があるかもしれません。

本書での、タシャ、コウチクといった言い方は、多くの読者に対し、ガサガサしたというかゴワゴワしたというか、「不透明な存在感」を示しているんじゃないかと思います。言語が不透明なものとして、現実の上に「浮いて」いる感じ。

慣れない言葉づかいの「わざわざ言ってる感」は、「言語の不透明性」を示している。

通常は、他者と言えば、他の人間を意味するものですが、本書という環境では、新たな言葉づかいとして、他者とは自分以外のすべてであるという特殊な定義をしている。

ちなみに本書は、フランス現代思想という学問分野＝環境に多くを頼っており、本書を読むことはフランス現代思想をちょっと勉強することになっています。

新たな言葉の定義には、すぐには慣れません。そのとき言葉は一時的に、不透明な異物になる——音の塊、謎の記号になる（それをカタカナで「タシャ」と表現している）。**不透明な異物としての言葉**が、現実から浮き上がっている。

この状態が「**言語それ自体**」であると捉えてほしいのです。

新たな言葉の定義に慣れていく途中で、「言語それ自体」という次元に出会う。それは、用法が落ち着いていない言語の状態、つまり、「用法を変える可能性に開かれた状態の言語」であると言えるでしょう。何に成長するかわからない「謎の卵」の状態です。いまだ「器官」（足とか目とか、内臓とか）が成長していない卵。別様に使い直すことができる、卵としての言語それ自体、これを、奇妙な造語をしますが、「**器官なき言語**」と呼ぶことにしたい。

不透明な異物としての、器官なき言語、それが言語それ自体である。まだ未分化な、可能性に満ちた言語の状態。

これを感じとることは、ちょっと難しいかもしれません。

次ページの図を見てください。

こんな説明はどうでしょう。

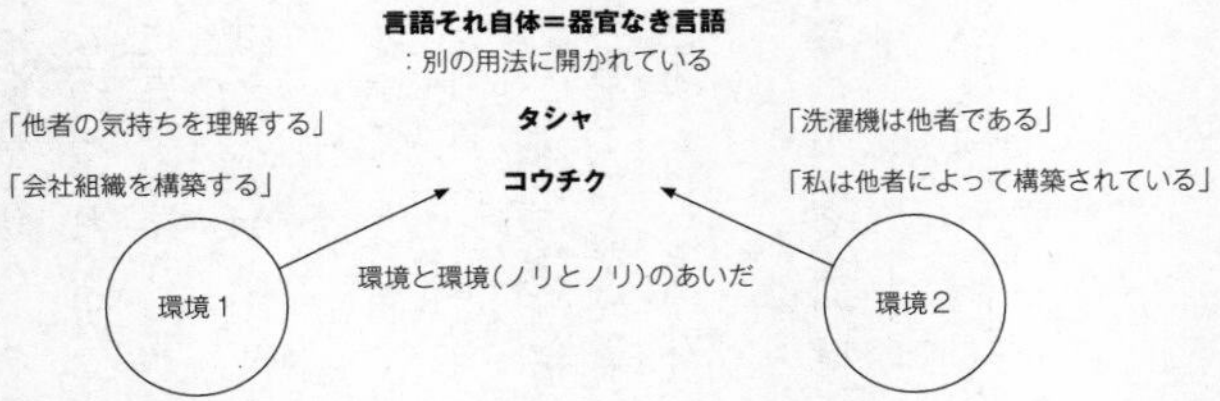

図１　言語それ自体への意識

通常、私たちは言葉の意味をわかっていて、何かをするために言葉を使っている。意味がわかる言葉を「道具」にして使っている。日常において言葉は、使い方のわかる道具である。

そこで、「道具が壊れる」という状況について考えてみたい。

長く使っていた洗濯機が壊れたので、新しく買おうとネットで調べているとします。動かなくなった洗濯機のホースを蛇口から外そうとしている。そのとき、大きなその塊が何か不気味に思えてこないでしょうか。スイッチの脇に溜まったホコリも、妙に気になる。壊れた洗濯機は、洗濯をするという行為の流れからアウトして、ただそこに孤独に居座っている。昔から部屋にあるはずなのに、それはいまや「不審者」のように感じられないでしょうか。

壊れた洗濯機は、不気味な「ただのモノ」となる。物質性《マテリアリティ》を発揮する。

逆に言えば、モノを道具として扱っている日常において、私たちはモノをたんなるモノとしては捉えていない。道具が壊れたときに、モノの物質性が前に出てくるのです。

さて、言葉も「壊れた道具」のようになるときがある。それはすなわち、使い方がよくわからない状態のときです。言葉が、たんなるモノになる。モノになるというのは言葉の場合、たんなる音になるということです。音の塊になる。不気味な。

タシャ、コウチク。なじみの道具だった言葉の使い方を変えようとしてとまどうときに、言葉は脱道具化し、物質性を発揮する。タシャ、コウチクというただの音。それは壊れた洗濯機のように、あなたの言語世界のなかで急に不気味になったモノなのです。

いかがでしょう、「ただのモノとなった壊れた洗濯機のように不気味な、ただの音となった言葉の不気味さ」です。それが、いままでのノリから新しいノリへ引っ越すそのあいだにあらわれてくる。ここが本書の核心です。さらに説明します。

以上で、僕は「**言語の物質性**」という概念を出したことになります。物質性とは、要は、言語のただの音としての面です。言語はそれ自体として結局はただの音でしかありません。

そして、ただの音としての言語に、場面場面で用法が与えられる。つまり、ただの音としての言語は、言語の「卵」状態なのです。まだ何かに成長していない「器官なき言語」です。

> **使い方がよくわからなくなり、ただの音になった言語、不透明に物質性を発揮する異物となった状態が、言語それ自体であり、それを器官なき言語と呼ぶことにする。**

言語それ自体＝器官なき言語の状態は、言葉はさまざまに別の意味で「使い直す」ことができるものなのだ、という、用法＝意味の根本的な変更可能性を示している。

以上を受けてまとめます。

勉強における「わざわざ言ってる感」は、次のような認識へと展開するでしょう。

違和感のある言葉と出会う↓言葉の用法＝意味は変更可能なのだ（器官なき言語）↓

言語は現実から切り離して自由に操作できる、言語操作によって無数の可能性を描くことができる。

いまは非現実的だとしても、「私は上海で働く」という可能的な状況を、言語を使って想定することで、その実現に向けてアクションを始めることができる。あるいは、「貧困に苦しむ人がいない世界」という言葉の並びを作ることで、それを旗印として社会運動が始まる。

さらには、「蜜の乾くような訪れ」（広瀬大志『広瀬大志詩集』）とか、「蟻たちは、ひとつひとつの供述だった」（望月遊馬『焼け跡』）とか、国語辞典的な普通の定義から離れた言葉づかいを勇気を出してやってみることで、詩や小説が始まる——。

ここが重要です。いま属している環境にはない可能性を、たんに言語の力で想像すること、それは文学にまで通じている、というか、それは文学することにほかならないのです。

可能性をとりあえずの形にする。言語はそのためにある。

文学という極端から逆に考えてみてほしいのですが、「私は上海で働く」とか「貧困に苦しむ人がいない世界」だって、詩じゃないでしょうか？　まだ現実ではない可能性を形にしている。

夢や希望を抱くことができるのは、言語を環境から切り離して操作できるからである。

この勉強論では、社会学やプログラミングを実用的に身につけることと、文学の読み書き、詩的言語を操作できるようになることを連続したものとして捉える。実用的な勉強をすることも言語表現の可能性を広げることなのであり、その意味でそれは、文学的になるまでに言語の自由度を上げることへとつながっているからです。

道具的／玩具的な言語使用

以上のことをさらに明確にするために、ここで二つの言語使用を区別させてください。

先ほど、壊れた洗濯機の例を出したときに、言葉は通常、「道具」であるという説明をしました。すなわち、「道具的」な言語使用。これが一番目の言語使用のあり方です。環境において、目的的な行為のために言語を使うこと。たとえば、「塩を取って」というのは「依頼」であり、相手を動かして塩を手に入れるという目的のために言っている。言葉のリモコンで何かをするわけです。

二番目は、たんにそう言うために言っているという言語使用。これを「玩具的《がんぐ》」な言語使用と呼びましょう。おもちゃで遊ぶように、言語を使うこと自体が目的になっている。先ほど挙げた詩の例はそういうものと捉えてほしい。ダジャレとか早口言葉もそうですね。

この二つは重なりあって作動していますが、通常は、道具的な言語使用が前に出ている。

励ますとか、依頼するとか、非難するとか、禁止するとか……私たちの会話は、基本的にはつねに何かをしています。このような「何かを言うことでする」というのを、哲学では「言語行為」と呼びます。言語使用は通常は主に道具的である、つまり何かの言語行為をしている。

他方、目的がはっきりしておらず、ある程度まで玩具的になることもあるでしょう。たとえば、友達とネタを出し合ってしゃべっているときには、しゃべり自体が重要なわけです。しかし、そういう場合でも「友人関係を平和に維持する」という言語行為をしていると言えます。極端に玩具的な言語使用は、通常のコミュニケーションの圏内では困難です。それは、ひたすら言葉のために言葉を言うことであり、とりわけ先に挙げたような詩がその状態だと考えられます。

道具的な言語使用は、何か外部の目的に向かっている。対して、玩具的な言語使用では、それ自体を目的にしている＝「自己目的的」である。

よろしいでしょうか。**道具的で目的的 vs. 玩具的で自己目的的**――この対立を、本書ではこれからさまざまな場面で使うことになりますので、覚えておいてください。

自分を言語的にバラす

では、もとの話に戻ります。

勉強をするさなかでは、言葉への違和感が、可能性の空間としての言語のヴァーチャル・リアリティを開くのです。

慣れ親しんだ「こうするもんだ」から、別の「こうするもんだ」へと移ろうとする狭

間における言語的な違和感を見つめる。そしてその違和感を、「言語をそれ自体として操作する意識」へと発展させる必要がある。

現実に密着した道具的な言語使用から、言語をそれ自体として操作する玩具的な言語使用へと移る。道具的な言語使用がメインになっている自分を破壊する。

自分を言語的にバラす。

バラバラの言葉のブロックが、自由に組み換えられて多様な文を形成する、しかし決定的な完成品になることはなく、組み換えの遊びが続く……そういう遊びの状態になるのです。自分自身が、そういう言葉遊びの状況そのものになるのです。

自分を言語的にバラす。そうして、多様な可能性が次々に構築されてはまたバラされ、また構築されるというプロセスに入る。それが勉強における自己破壊である。

二つのノリのあいだで引き裂かれる——それは、自分が言語的にバラされるということ。二つのノリの狭間であなたは、砕け散って、可能性の破片になる。言葉の瓦礫《がれき》になる。

言語の不透明性に気づき、言語をわざと操作する意識をもつようになることこそが、どんな勉強にも共通する一般に重要なことだと思うのです。もちろん、フランス料理を勉強して繊細なソースを作れるようになるとか、社会学を学ぶことでブラック企業の問題を考えられるようになるといった、特殊な課題が勉強にはある。ですがそれと同時に、あらゆる勉強に共通の、言語への意識を高めるという「一般勉強法」がある。料理や美容などの技術を学ぶときにも、独特の概念や語り方による新たな言葉の世界に入るわけです。そのときの、言葉への違和感を大切にしてほしいのです。わざとそういう言い方をしているという感覚です。

一般勉強法とは、言語を言語として操作する意識の育成である。それは、言語操作によって、特定の環境のノリと癒着していない別の可能性を考えられるようになることである。

深く勉強するとは、言語偏重の人になることである

生活の別の可能性を開く。そのためのアクションを起こす前に、慎重に立ち止まって、環境と自分のこれまでの癒着がどうなっているかを分析してほしいのです。

私たちは、その環境のそういうノリの人になってしまっている。

ところで、環境を敵視するほど嫌っているとしたらどうでしょう？

つらい環境には、自分に耐えられる限度を超えた苦痛があるのかもしれません。が、そうだとしても同時に、ぎりぎり生きていられているのであれば、自分はそこで最低限にでもマゾヒズムを働かせているはずです。なぜなら、ひたすら苦痛だけを感じ続けて生きることはできないからです。なんとか苦痛をやりすごせるよう、「痛気持ちいい」という矛盾した状態を成立させている。苦痛からちょっとでも快楽を得ようとしている。

この考え方は、レオ・ベルサーニという、精神分析学やゲイ文化の研究をしている人から借りています。ベルサーニは、人間の根本にはマゾヒズムがあると考えている。

どんなにつらい環境でも、自分にはそのノリと癒着してしまっている面がある。

環境の問題点を批判し、改善の努力をするにせよ、あるいは気持ちを切り替えて別の環境へ逃げてしまうにせよ、そうしたアクションは、環境と癒着してしまっている自分のあり方を解体しつつでなければ、結局、その改善したい／脱出したい環境に癒着した自分をいつまでも引きずることになってしまう。たとえどこかへ逃げ出しても、自分の意に反して自分に残存している悪しき環境のノリを、せっかくの新天地で再現してしまうことになります。

どんなに批判意識を高めても、そのつらい環境のノリがマゾヒズム的に自分に刻み込まれているという事実を自覚しなければ、その環境をさらに保守することになってしまいます。

さらには、批判や疎外感といったネガティブな反応自体が一定のノリでパターン化されている、つまり「ノリに逆らうやり方のノリ」が形成されていることがしばしばある。ノリに逆らうつもりでとっていた態度が、いつしか対抗的なもうひとつのノリになってしまい、突き離したいはずのその環境と結局は共に生きることになってしまっている、という状態。

では、どうすれば、環境と自分のこれまでの癒着にメスを入れられるのか？

そのためには、ノっている――たとえ環境に批判的であっても「批判的にノっている」ような――自分を退いて客観視するのです。その場にいながら距離をとっている「もう一人の自分」というポジションを設定する。

それは、言葉を言葉として意識している自分です。

通常は、言葉を言葉として意識していない言語使用がメインです。すなわち、言語が透明な道具として目的的に使われている状態、「道具的な言語使用」であり、それがあなたと環境の癒着を見えなくさせています。環境においてしっかり「地に足が着いた」言葉づかいができているとき、私たちはいちいち「足もと」を確認しなくてもスムーズに行為できます。しかし本書では、あえてスムーズに行為できなくなるリスクをとって、足もとを確認せよ、分析せよ、と求めているのです。

自由になる、つまり環境の外部＝可能性の空間を開くには、「道具的な言語使用」のウェイトを減らし、言葉を言葉として、不透明なものとして意識する「玩具的な言語使用」にウェイトを移す必要がある。

言語をそれ自体として操作する自分、それこそが、脱環境的な、脱洗脳的な、もう一人の自分である。言語への「わざとの意識」をもつことで、そのような第二の自分を生成する。

地に足が着いていない浮いた言語をおもちゃのように使う、それが自由の条件である。

言語は、現実から切り離された可能性の世界を展開できるのです。その力を意識する。わざとらしく言語に関わる。要するに、言葉遊び的になる。

このことを僕は、「言語偏重《へんちょう》」になる、と言い表したい。自分のあり方が、言語それ自体の次元に偏っていて、言語が行為を上回っている人になるということです。それは言い換えれば、言葉遊び的な態度で言語に関わるという意識をつねにもつことなのです。

深く勉強するとは、言語偏重の人になることである。

言語偏重の人、それは、その場にいながらもどこかに浮いているような、ノリの悪い語りをする人である。あえてノリが悪い語りの方へ。あるいは、場違いな言葉遊びの方へ。

勉強はそのように、言語偏重の方向へ行くことで深まるのです。

ラディカル・ラーニングとは、言語偏重になり、言葉遊びの力を解放することである。

第二章　アイロニー、ユーモア、ナンセンス

環境のノリから自由になるために、勉強を深める。

根本的に深い勉強、ラディカル・ラーニング。それは言語偏重になることである。言語偏重になるというのは、ある環境でスムーズに行為するために言語を使っている状態から脱して、**言語をそれ自体として操作する意識**を高めることである。言語の「道具的使用」から「玩具的使用」へ。言葉をおもちゃのように操作し、「言えるには言える」という形で、自分のあり方の多様な可能性を、環境の求めから離れて自由に考えられるようになる――。

ここまでを第一章で説明したのでした。

環境に依存し、コードに従順な生活がまずデフォルト状態としてあって、そこからどう自由になるか、その外へどうやって出るかというのが本書の大きなストーリーです。コードに従順なデフォルト状態は、「保守的」であると言える。それに対し、勉強によって身につけてもらいたいのは、「批判的になる」ということです。

自由の余地は、「浮いた」語りに宿る

別の可能性を考える、もっとたくさんの――それは、これまでの自分のノリ、つまり

自分が癒着していた環境のノリからすれば、何か「ノリが悪いこと」をあえて、わざと考えてみることにほかなりません。批判的に可能性を考えることは、わざとノリが悪くなることなのです。

自由の余地は、むしろ「ノリが悪い語り」に宿る。

それは、環境から「浮く」ような語りです。不気味でもある語りです。品のない言い方を許してもらえば、それは「キモい」語りだとも言えるでしょう。

短絡的ですが、こう言い切ってしまいたい。

勉強によって自由になるとは、キモい人になることである。

言語がキモくなっているために、環境にフィットしない人になる。

だから、自由になるために取り組むべき勉強のテーマ、勉強の「深い」テーマは、これまでのあなたにとって、キモいことである。ダサいことである。恥ずかしいことである。

そういう退けたいような何かをわざと考えてみる。言葉遊びの力を借りて。

たんに「言えるには言える」という形でいいんです。現実に即した意味を求める必要はないのです。

言葉遊びにすぎないのであれば、非現実的なことや嫌なことでも考えやすいでしょう。そもそも言葉は他者なんですから。自分から「浮いた」ヴァーチャルな言語の次元で、これまでは真剣に考えなかったことを考えてみる。あるいは、真剣に考えてみたかったけれど向きあってこなかったことを考えてみる。わざと。言葉は他者だと思えば、そんなこともやりやすくなるのではないでしょうか。これが勉強の深いテーマを発想するための基本姿勢なのです。

言語をそれ自体として遊びで操作し、可能性をたくさん描く。その方法を、この第二章で具体的に説明します。それは、言ってみれば「わざと言語をキモくする」ためのテクニックなのです。環境にそぐわない＝キモいことを考えつくためのワザを知る必要がある。

しかしキモいというのは強い言い方なので、ここから、基本的には「浮く」という言い方にさせてください。そこで、本章の方針を次のように宣言しておきます。

場から「浮いた」語りを分析すれば、即、勉強の本質を知ることになる。

これから展開する一種の言語論が、本書の「原理編」の中核です。

浮いた語りの本質は、共同性から分離することである。
周りのノリへのコミットをやめるような語り。

通常、私たちは、何かをするための道具として言語を使っている――「道具的な言語使用」をしている。目的的・共同的に言語行為をするために、何かを言っている。ノリが悪い、浮いているというのは、そこから外れることです。つまり、言語の脱目的化・脱共同化です。

要するに、「言語をみんなの共有物でなくする」のです。

さらに言えばそれは、「玩具的な言語使用」に近づくということ。自己目的的・脱共同的な語りへと向かっていく――言語のそれ自体としての、いわば「人里離れた」あり方へと。

ツッコミ＝アイロニーとボケ＝ユーモアで思考する

言語を周りのノリから引き離し、それ自体として玩具的に使うことで、自由に可能性を操作する。そのテクニックをこれから説明します。

それは大きく二つあります。みなさんおなじみの、お笑いにおける「ツッコミとボケ」です。このペアの機能を、本書では、「アイロニーとユーモア」と呼び直して説明したい。

ツッコミ＝アイロニーとボケ＝ユーモアが、環境から自由になり、外部へと向かうための本質的な思考スキルである。

本書では、私たちの思考はアイロニー型とユーモア型に分かれる、という仮説をとる。そして、勉強においてはアイロニーに優先権があると考えます。アイロニーから始めてユーモアへと進むというのが、これから説明する流れです。

具体的に考えるために、次のようなセッティングをします。

本章では、世間話の最中に、一人の発言が場にそぐわない＝「浮いて」しまうケースを哲学的に考察する。アイロニー的に、またはユーモア的に「浮く」ようなケースです。世間話とは、深い間柄ではないメンバーの会話で、表面的に済ませたほうがいいようなものとします。

二種類の「浮き」は、**まさしく「勉強している人」がやってしまいがちなしゃべりのミス**であり、そしてそれこそが、自由のための思考スキルに対応している。逆に、そういう思考スキルをもつ人だからこそ「浮く」発言をやらかしてしまうことがある。

この発言の「浮き」という問題には、僕の個人的な思いが込められています。

　僕自身が、勉強を続けるなかで、単純に環境のノリに合わせる形では、つまり普通にはしゃべれなくなった、という実感がある。とくに中学生の頃が強くそうで、その後は弱まっていきましたが、いまでも続いています。みんなで一緒という空間に入ると、アイロニーでその結束に水を差したり、ユーモアで別のことを言ったりしたくなる。これは、同じく勉強のプロである研究者仲間を見ていると僕だけのことではないなと思います。勉強を深めるとアイロニーとユーモアが強まる、そうなってしまう。そこから僕は、逆にこう考えました——**アイロニーとユーモアをわざと発揮する方法を示せば、勉強を深めるべき方向が見える。**

　しかし、普通にしゃべれなくなった後、いわば「一周回って」環境にまた戻り、たんに合わせるだけではない形でそこに参加し直すことができるようになると思うのです。

　喩《たと》え話をしましょう。筋トレで本格的に筋肉を増やすには、同時に脂肪がつくのを我慢しなければならない。ボディビルの専門的な説明を読めばわかりますが、脂肪を落としながら筋肉量を増やすのは無理なのです。いったん「増量期」に入って、筋肉と脂肪を一緒に増やしてから、その後、トレーニングを続けつつ食事制限をし、できるだけ脂肪のみを落とす「減量期」に入るのです。これと似たように、勉強においてもいったん知性と同時にキモさがついてしまう「増量期」を経て、その後、キモさを減らす「減量期」に入るというわけです。いったんノリが悪くなる、キモくなる段階を経てから、新たなノリに至る――「来たるべきバカ」になる――、このことは、次の第三章で考察することになります。

コードの不確定性

本章では、会話分析のために、「会話のコード」を想定します。それは、ある会話での「こういう話をするもんだ」（会話の目的的・共同的な方向づけ）です。逆に言えば、「こういう発言はNG」でもある。それは、なんとなくの「空気」として共有されています。

なんとなく、曖昧にです。将棋のルールのような明確で固定的なものではありません。

会話のコードはだいたい次のようにできている。

まず、ひとつの話題を、何かの言語行為をするために目的的に話している。これが大枠です。そこには、さまざまな前提が含まれている。判断するための価値観とか、どういう事実認識をするか、など。それから、敬語が必要だとか、時間の制約といった条件もある。

たとえば、芸能人の不倫報道について（話題）、その芸能人を非難するために話す（目的）。それは、「不倫は悪だ」と認め合うことで（価値観の前提）、自分たちの結束を固めるためかもしれない（目的）。また、休み時間の立ち話ならば、短く話す必要がある（時間の制約）。

こういうパラメータをだいたい察知できるのが、「空気が読める」ということです。

コードは、あらかじめはっきりとはわかりません。会話の流れのなかで不安定な形で想定されるだけです。途中で急に変わることもあるでしょう。

会話のコードはつねに、なんとなくのもの、不確定で揺らいでいるものです。どういう話をすればOKなのかはなんとなくはわかる。が、正確には規定できない。会話においては実は、誰一人、そういう発言でいいのかどうか確信がありません。何がNGなのかも曖昧だから、しばしば逸脱的な発言が起こり、受け止めに困ることもある。

この**「コードの不確定性」**の説明は、会話に限らず、行為全般の「こうするもんだ」＝環境のコードについて言えることです。**環境のコードはつねに不確定であり、揺らいでいる。**会話にもコードを想定できるし、人に会うときの身ぶりとか、何かチームでやる作業とか、服装とか、あらゆることにコードを想定できますが、コードはつねになんとなくのもの、不確定なものでしかありません。第一章ではこの点を述べていませんでした。本章において、アイロニーとユーモアは、コードの不確定性に対する二つの反応として説明されることになります。

最近参加した会話を思い出して、そこにどんなコードがあったかを考えてみてください。

あのおしゃべりは、就活で失敗した誰々を「励ます」目的だった、時間の制約があって十分にはしゃべれなかった……。なぜそう話したのかに意識的になってください。就活で失敗した人を励ますのは当たり前と思うかもしれません。しかしそこには「就職は良いことだ」というコードがあり、それがあなたの励ましを成り立たせている。そのことを退いて客観視してほしいのです。

そして、素直じゃない発想ですが、そのコードから外れるには、どういう発言が有効だろうかと考えてみてほしい。どういう発言をすれば場から浮くだろうか？

いまの場合なら、「就職は良いことだ」にぶつかるような何かを言えば、変な印象を与えることになるでしょう。しかしそれが別の可能性を開くきっかけになるかもしれない。たとえば、「そもそもなんで働かなきゃいけないんだろう？」と、言ってもしょうがなさそうな疑問をとりあえず言ってみる。さらには、「人類がもう働かなくなった世界」という言葉の並びだって言えるには言える。言葉遊びとして。そこから社会と経済のしくみを深く考え始めるかもしれません。そして、新卒で就活するのとは違う働き方を探るようになるかもしれない。

そのように素直じゃないことをどうやって発想したらいいか？　その効率的な方法として、ツッコミ＝アイロニーとボケ＝ユーモアを説明したいのです。

本章において会話を教材にするのは、会話は主に言葉でなされるので（本当は表情とか声のトーンとかもありますが、今回は省略します）、そのまま言葉で記述し、コードを分析できるからです。会話分析から出発して、もっと複雑な行為にも広げて考えてみてください。会社や学校で、地元で、どんなふるまいをしたら「浮く」だろうか……それも、これから説明するツッコミ＝アイロニーとボケ＝ユーモアによって効率的に考えられるはずです。

わざとの自己ツッコミと自己ボケ

コードから外れる、あるいはもっとアグレッシブに言えば、コードを「転覆」してしまうようなワザが、ツッコミとボケです。

ツッコミとボケは「コードの転覆」をする対極的な方法である。

まず、簡単にその意味を確認します。

ツッコミとは、周りが当然のように言っている話に対し、「そうじゃないだろ」と否定を向けること。これは、シリアスに言えば、「疑って批判」することです。

ボケとは、一人だけ急に「ズレた発言」をすることですね。ツッコミと対比するならば、ボケの場合では、勝手にその場のノリからズレていて、孤立した感じを与えるでしょう。

私たちは、環境から自由になるために、わざと素直じゃないことを考えてみようとしている。環境のコードに対してわざとツッコミ的、ボケ的に、別の可能性を考えてみるのです。

ところで、ツッコミは、そもそもわざとやることです。すなわち、場のコードがどういうものかを、不正確にではあっても意識した上でなされるということです。この「わざと」を「自覚的」と言うことにしましょう。

ツッコミは、基本的に「わざと＝自覚的」である。

というか、場に対して自覚的に介入するのならば、「最小限のツッコミ意識」があると言えるでしょう。それは、客観的に状況把握をした上でどうするかという意識です。他方、ボケの方は、必ずしも自覚的ではない。「無自覚」なのが「天然の」ボケです。ボケについては、「無自覚なボケ」と「自覚的なボケ」を区別できる。

本書では、思考のテクニックとして自覚的にツッコんだりボケたりすることを説明しようとしている。ですから、ボケについても、「最小限のツッコミ意識をベースとした、自覚的なボケ」を身につけよう、ということになります。

環境（＝他者関係）が、自分をその環境の人として構築している。

自分が癒着している環境のコードに対するツッコミとボケは、だから、自己ツッコミと自己ボケなのです。そうできるようになることが勉強の深まりなのです。そして、自己ツッコミと自己ボケによって、何をこれからラディカルに学ぶべきなのかが見えてくる、ラディカル・ラーニングのテーマが浮上してくる。

たとえば、これまで結婚にこだわっていなかったのに、周りが結婚し始めて、これでいいのかと思うようになったとする。「しかし結婚が幸せなのだろうか？」「恋愛にもあんまり興味ないけど、それじゃダメなんだろうか？」「自分的に、幸せとは何だろう？」——自己ツッコミです。ここから、結婚とは、恋愛とは、性とは、幸せとはどういうことか？　というように「深い」テーマが開けてくる。

こういう独身の主人公のドラマがあったな、いや、マンガかな、と連想してみる。あれは何のマンガだったろう……。というか、恋愛もののマンガって、何を読んだっけ……と、いくつか作品を思い出し、ネットで検索を始める——当初の目的からズレている、自己ボケ。

ボケの場合は、自覚的にやらないと、たんに「目移り」になります。いまの場合なら、せっかく調べ始めたのだから、メモを残しておけば（ネットの調べものなら、Evernote などに記録するのがいいでしょう：詳しくは第四章）、さらに深めて考えるための資料になります。

こうしたやり方で勉強のテーマを着想するプロセスは、次の第三章であらためて説明しましょう。本章では、原理的な考察に集中したいと思います。

コードの転覆

環境のコードにそぐわないことをわざと自覚的に考える。それは、まずそのコードがどういうものかをわかろうとした上で、別の可能性を考える、ということです。そこに創造性の芽生えがあるのです。

コードを客観視する「最小限のツッコミ意識」が、勉強の大前提である。

勉強とは、新たなことを自覚的にできるようになることです。

(0) 最小限のツッコミ意識：自分が従っているコードを客観視する

その上で、

(1) ツッコミ：コードを疑って批判する

(2) ボケ：コードに対してズレようとする

最小限のツッコミ意識は、大前提なので、これは(0)としました。その上で、思考を展開するために、(1)ツッコミを入れるか、(2)ボケるか、という二つの戦略に分かれる。

さて、本書ではこれから、ツッコミをアイロニー、ボケをユーモアと呼び直して説明します。アイロニーとユーモアの対立、これが自由になるための思考スキルです。

辞書的には、アイロニーは「皮肉」、ユーモアは「しゃれ」ですが、要はツッコミとボケのことだと理解してもらってかまいません。それぞれ、詳しくはこれから定義します。

アイロニーとユーモアを対立させる本書の構図は、ジル・ドゥルーズというフランスの哲学者の議論にもとづいています(詳しくは、付記を参照)。

コードを客観視することは、自分だけ「その場にいながらにしていない」みたいになることです。ここでは「こうするもんだ」=「こういうコードなんだ」と、退いて眺めている。場にコミットしていない。これを「**メタな立場に留まる**」と言うことにしましょう。

「**メタ**」というのは、「高次の」という意味の用語です。いまの文脈では、環境から浮いた立場から、「上から」の目線で全体を俯瞰している、というポジションを意味しています。

メタな立場に留まること=最小限のアイロニー(ツッコミ)意識である。

先ほどの図式を、次のように書き直しましょう。

(0) 最小限のアイロニー意識：自分が従っているコードを客観視する

その上で、

(1) アイロニー：コードを疑って批判する

(2) ユーモア：コードに対してズレようとする

そもそも不確定なコードをますます不確定にすることを、「コードの転覆」と呼ぶことにする。アイロニーとユーモアはそのための技術である。

会話におけるコードの転覆を学ぶことで、自分のこれまでのあり方に対するコードの転覆を考えられるようにする。お笑いの突破力を自分自身に向けるんです。ラディカルに。これまでの自分のノリに抵抗する別の自分を、言語的に作り出す。

自己アイロニー（＝自己ツッコミ）と自己ユーモア（＝自己ボケ）を遊び心たっぷりに操作することで、習慣化してしまった自分のあり方を自己破壊する。

自分自身に対抗して、自分でわざと、もうひとりのキモい自分を言語的に作り出す。

あなたのこれまでの人生を、たんなるお約束（コード）によって展開しているお決まりのおしゃべりみたいなものとして捉えてください。自分に飽きてしまっている状況があるのだとしたら、そういう人生をアイロニーとユーモアによって転覆し、別の豊富な可能性を、言葉によって、言葉遊びによって考えるのです。

ナンセンスという第三の極

さらに本章では、アイロニーとユーモアに加えて第三の極を立てる。

それは、ナンセンス、無意味です。

アイロニーとユーモアは、会話のコードを有意味に転覆する。他のみんなが共有している考えに対して、異質だけれども、意味がある発言をぶつける。しかし、それよりももっと「**脱コード的**」なやり方がある。わけのわからない呪文みたいなものを言い始めるとか、あるいは行為としてならば、急にめちゃくちゃに踊り出すとか、猛スピードで走り出すとか。

……そんな極端を考えても、それこそ無意味なんじゃないかと思われるかもしれません。

ですが、ナンセンスを考えることは、普通の言語行為を把握するために欠かせないことなのです。普通であるというのは、「ナンセンスにまでは至らない」範囲内だということで、だから、ナンセンスがどういうことなのかを理解すれば、そこまでは至らない＝普通であるとはどういうことなのかを理解できるのです。

極端を知ることで、そこまでは行かない手前をよりよく知るということです。

アイロニーとユーモアは「過剰」になるとナンセンスな「極限形態」に転化する。

アイロニーとユーモアの延長線上に、ナンセンスが出現する。アイロニーとユーモアが普通に使えるのは、ナンセンスにまでは行かない「ほどほどの」範囲内でのことなのです。

そこで、本書では、いわば「大は小を兼ねる」という意味で、ナンセンスという極限を知った上でそこまでは行かないという意識をもつことが、アイロニーとユーモアの操作性を上げるだろうと考えて、ナンセンスまでを説明に含めることにしたい。

ナンセンスまでを考慮に入れた上で、その手前に留まる。これが本書の特徴なのです。

ナンセンスとは、言葉遊びの力が解放された状態であり、そこには文学がある。

それはラディカルに玩具的・自己目的的な言語です。

私たちは基本的には何かのための実用的な勉強をしようとしていますが、本書では、極限として文学の自己目的性を遠くに置き、そこまでは行かない範囲に実用性を位置づける。
実用的な勉強は、もっと解放的な、すなわち文学的な言語空間のなかの一部である。

一つ一つの背骨に音色を尋ねてみる。本当はいない犬が歩いていた、水蒸気の多い場所で
犬が本当にいる
おお、生き生き健康体操
動物は人間にはできない動きをすることがある。このような関節の数、
このような関節の、軟らかい液体の種類
(小笠原鳥類『小笠原鳥類詩集』三七頁)

たとえばこうした現代詩では、常識から言語を解放しています。「背骨」と「音色」という組み合わせは常識的ではないですが、不思議な魅力がありませんか。詩において言葉は、レゴ・ブロックのように自由に組み合わせられる。言葉のブロック遊びとは、言い換えれば、言葉のダンスです。それ自体を楽しむ行為としてのダンス。詩的言語とはダンス的な言語です。普段から詩集を読む人は珍しいと思いますが、たまに詩的言語

に触れると言語感覚の幅が広がります。そして深い勉強とは、ダンサーが身体を柔らかくするように、言語を柔らかくして＝自己目的化してから、その上で、新たなしかたで言語を道具化することなのです。

会話を深めるアイロニー

ここから、アイロニーとユーモアに関する哲学的な説明を、具体例を使いながら展開します。それを理解することが、基本的な思考の方法を鍛えることになる。本書は、勉強の方法を説明しているわけですが、同時に、哲学という分野への導入にもなっています。

第一に、アイロニーのしくみを詳しく見ていきましょう。

アイロニーとはツッコミ（自覚的な）であり、会話のコードを疑い、批判するものです。正確には、アイロニーの攻撃はコードの「根拠」に向けられます。みんながなんとなくそれでＯＫと思っていることの根拠をうるさく問題にし、結果的に場を白けさせることになる。

たとえば、何人かでケーキ・バイキングに来ている状況を考えてみましょう。「クリームが滑らかだね」とか、「メロンがいい香り」とか、無難に感想を言っていて、それで「そっちのはおいしい？」と声をかけられた。で、わざとアイロニーで答えてみる。

「……おいしいって答え以外、許されてるの？（笑）」とか、どうでしょう。

感じが悪い。意図的に場から「浮こう」としている。

こんなふうに言われたら、その後みんなは、素直に「おいしい」と言えなくなる。いまの発言は、この場では「おいしいおいしい言いさえすればいい」といった感じのニュアンスで、メタな立場から、上から目線でコードを把握し、それで、「本当においしいと言えるのか？」、「おいしいってそもそもどういうことよ？」といった疑問をほのめかしている。

「おいしい」と言えることの根拠に攻撃を向けているのです。

すると、この場はどうなるか？

もう「おいしい」という曖昧な言葉には頼れなくなり、どうノったらいいのかわからなくなる。そして全員がバラバラになってしまう――「なんでここに一緒にいるんだろう？」

場のコードが、なんとなくのものでしかないこと、ちゃんと根拠がないことにツッコミが入った。すると、「たんにお約束として仲間っぽくしているだけ」になってしまう。「このノリで一緒にいなくてもいいよね」と、疑いはさらに深まっていく。「自分たちを結びつけるものって何なのか？」、「自分たちを結びつけるものなんてあるのか？　ないんじゃないか？」

先に述べましたが、会話のコードはそもそも不確定で、揺らいでおり、将棋のルールのように固定的なものではありません。**アイロニーによってコードの根拠づけを無理に求められると、コードのそもそもの不確定性、要は「空気でしかなかった」という事実が露わになるのです。**

そして、場が白けてしまう。

アイロニーはこのように「コードを転覆」する。根拠を疑うことで、なんとなく共同でやっていた言語行為をできなくさせてしまう。いわゆる「ちゃぶ台返し」です。コード＝「ちゃぶ台」で、アイロニーは「このちゃぶ台に乗ったままでいいの？」と疑いを向ける。

アイロニーは、なんとなくのノリにダメ出しをし、「正しさ」を求める。だからアイロニカルな態度になれば、もうバカができない。適当なことができなくなる。

もうひとつ例を挙げます。

コード＝ちゃぶ台に疑いを向けると、どういう展開がありうるのか？

芸能人の不倫報道についておしゃべりをしている。「イメージ台無しだわ」とか、「子供もいるのに」とか、不倫した芸能人を非難する方向で話している。ここでは、「不倫は悪だ」という価値観が会話のコードに含まれている。

そこで、「でも、そもそも不倫って悪いことなの？」と発言する。これもアイロニーです。

「不倫＝悪とする根拠は？」という疑問です。コードの根拠を疑っている。

すると、他のみんなは、「悪いに決まってんじゃん！」と、コードを維持しようとするかもしれませんが、いったん流れにブレーキがかかった——不倫した芸能人を非難する（そして、自分たちの結束を固める）という言語行為は、その発言のせいで宙づりになってしまう。

アイロニーは、会話を深める重要なターニングポイントになります。

いまの例ならば、芸能人への「叩き」行為から、「そもそも不倫は悪なのか？」または「不倫は肯定できるか？」という、より「本質論」的なゲームに移ることになるかもしれない。

つまりアイロニストは、「いいかげんな話はもうやめよう、本当に問題にすべきことを考えよう」と、話を深める方向へみんなを引っぱっていくのです。

ですが、アイロニーにはもっと恐ろしい威力がある。

アイロニーは際限なく深まる。

アイロニーの過剰――超コード化による脱コード化

「そもそも不倫は悪なのか？」という問いについて話し始めるなら、こんどは、「悪とはそもそも何なのか？」、「不倫とはどういうことか？」、「人を愛するとはどういうことか？」など、さらに高次の（メタな）根拠づけの問いが連鎖的に引き起こされるでしょう。

そこで、たとえば「悪とは人を悲しませることである」と誰かが主張したら、こんどは、「人の悲しみはどう根拠づけられるのか？」という問いが出てきて、さらに……という具合で、根拠づけの連鎖は止まらない。

元のコード＝「不倫は悪だ」は、常識的な思い込みにすぎない。根拠が薄弱だ。ちゃんと根拠のある思考をしなければならない……そうして、「究極の根拠」を知りたい、要は「真理」を知りたいという欲望が高まってくる。

アイロニカルな根拠づけは、足もとをどんどん掘り崩すように深まっていく。

けれども残念ながら、究極の根拠＝真理には、決して到達できないのです。

元のコードへの疑いから出てくる高次の根拠を、「**超コード**」と呼ばせてください。先の例ならば、不倫の話から出てくる「悪」それ自体の定義は、超コードです。元々のコードから超コードへ移ることは、「**超コード化**」です。

アイロニーは、会話を超コード化する。

勉強している人は、会話のコードを疑って、超コード化をしがちである。

歴史的なことを挟むと、古来、メタに根拠づけの問いを発することこそが知性の証だとされてきました。哲学の祖であるソクラテスは、相手の言うことの根拠をしぶとく疑って、不合理を明らかにし、相手が元々もっていた信念（コード）がいかにいい加減かを暴く、という実践をしていた。このソクラテスの技法が、古代ギリシア語で「エイロネイア」と呼ばれるのです。これがアイロニーの語源。哲学とは、根本的にツッコミの技術なのです。

戻りましょう。

超コードは、元々のコードを破壊し、場を乗っ取ってしまう。しかも、超コードがひとつ成立して終わりではない。その超コードもまた疑いの対象となって、さらなる超コードによって破壊される。話の深まりは際限がない。

アイロニカルな話の展開とは、無限に遠くにある究極の根拠に向かって、話を深めては壊し、深めては壊しを繰り返すことである。

実際の会話では、適当なレベルで切り上げになるでしょうが、原理的にはそうなのです。

アイロニーは破壊的なプロセスです。要は、深い話へ深い話へと疑いを重ねていくと、結局のところ、何を信じて話をしたらいいのかわからなくなっていくのです。言い換えれば、

超コード化を進めていくと、コード不在の状態に近づいていく。

場を支える共通のコードがもはやなくなってしまう。

これは、「**超コード化による脱コード化**」だと言えるでしょう。

アイロニーの、ツッコミの過剰化。

なぜそんなことが起こるのか。ここでは、話をちゃんと根拠づけたいというのを超えた何かが起きている。話の根拠に納得がいかないからだけではないのです。アイロニーの過剰は、実は、言語の根本問題に触れているのだと考えられます。

そのことを以下、説明しましょう。

「なぜそう言えるのか」という会話のコードへの疑いは、言葉ひとつひとつの意味、定義への疑いになっていきます。「悪」とは、本当はどういう意味なのか？――結局、考えようで何でも「悪」と言えるには言えるかもしれないし、「悪」でないと言えるには言える。しかしアイロニストは、言葉ひとつの意味の、究極の根拠を追い求めているのです。

「悪」という言葉の真の意味を絞り込んでいく方向に突き進んでしまう。

会話のコードの根拠を求めることが、言葉の真の意味を求めることになっていく。

これが、アイロニーは言語の根本問題に触れているということなのです。

しかし、私たちは第一章で、言葉の意味は、何らかの環境におけるその言葉の「用法」である、という立場をとったのでした（ウィトゲンシュタイン的に）。悪とは何か？　環境ごとに、悪の範囲は「適当に」区切られているだけです。ところがアイロニストは、特定の環境に依存しない、言葉の真にリアルな意味を求め、結局それに到達できないのです。

アイロニストは、現実そのものにぴったり一致する「究極の言語」を求めて、私たちが環境内で使っている「不十分な言語」を破壊していく。しかし、私たちは環境内で他者の真似をすることでしか言語を使えないのです、結局は。だから、アイロニーは、最も極端には、言語を――環境依存的であるしかない言語を――「無化」したいという欲望になるのです。アイロニーとは、言語のフィルターを通さずじかに「現実それ自体」に触れたいという欲望です。

アイロニーは、言葉をはぎ取られた「現実それ自体」を目指している。

自覚的に始まったアイロニーは、言葉の定義をうるさく問題にして話を成立させまいとする状態へと無自覚に転化する。ＳＮＳで、手当たり次第に言葉尻をあげつらうリプライを送りつけるツッコミ屋は、そうしたアイロニーの無自覚化に陥っているのではないでしょうか。

しかしアイロニーの極限は、何も言えなくなることです。どんな言葉も環境依存的でしかないから、破棄する！ というのは、無意味《ナンセンス》へと突き進んでいくことなのです。

アイロニーは、「言語なき現実のナンセンス」へと突き進んでいく。

現実それ自体への到達は、アイロニストの不可能な夢です。

言語というものは、特定の環境内での用法で使うしかない。

言語使用とは、他者の言語使用の真似です。言葉が有意味に使えるのは、特定の環境のコードにおいてすでに使えてしまっているからである。しかし、アイロニストはこの（ウィトゲンシュタイン的な）言語観を攻撃し、環境依存的でない真理を求め、ナンセンスへと突き進んでいく。この道行きを避けるには、あらためて、「言語の意味は用法である」という立場に戻るしかないでしょう。

アイロニストは、極端に言えば、自分がたまたまある環境のなかに投げ入れられていてそこの言語に浸ってしまっている、という「偶然性」が我慢ならない。「必然的で唯一の」現実を生きたい、という夢をもってしまう。しかしそれは、果たせない夢なのです。

整理しましょう。

私たちは、三段階のステップで言語とのつきあい方を変化させるのです。

第一に、ある環境に縛られて、そこで保守的に言語を使っている状態がデフォルトです。周りに合わせて、環境のコードに従って、言語を道具にしている状態。

第二に、こうした状態に疑いを向け、「外に出よう」とするのがアイロニカルに＝批判的になることである。しかし、問題は「外とはどこなのか？」です。アイロニーは、自分が癒着している環境だけでなく、他のあらゆる環境のコードも疑い、「究極の外＝現実それ自体」を目指す。それはすなわち、私たち人間を取り囲む「言語的なヴァーチャル・リアリティ（VR）」の絶対的な外部に脱出したいということです。だがそれは果たせない。

結局、ある環境の外には、別の環境があるだけなのです。

そこで、第三段階を次のように考えることができる。

アイロニカルな意識、つまり「外に出よう」という意識をもちながら、究極の外＝現実それ自体は目指さずに、言語は環境から離れては存在しないということ、**「言語の環境依存性」**を認める。ある環境の外には別の環境があるだけなので、このスタンスは

「環境の複数性＝言語の複数性」を認めることです。さまざまな環境のあいだを、「諸言語」のあいだを行ったり来たりする。これは旅人のようなあり方でしょう。これが、第一段階の、ある環境に縛られた保守的状態から脱し、「一周回って」環境依存性を認めることなのです。

アイロニーによって言語の破棄に至ることなく、「諸言語の旅」へと向かう。

この転回が、ユーモアへの転回なのです。

新しい見方を持ち込むユーモア

ユーモアとは、コードから「ズレた発言」です。変な方向に、「斜めに浮く」ような発言。それはアイロニーとは違って、コードを批判するものではありません。コード破壊的ではなく、コードを生かしておいたまま「ひねる」ような効果を発揮します。

ユーモアは、何か新たな「見方」をその場に導入する。

アイロニーは「根拠を疑う」こと。
ユーモアは「見方を変える」ことである。

ユーモアは、コードがそもそも不確定性であるから起こってしまう事態です。

コードは不確定で揺れているから、どういう発言が「決定的に」NGなのかは、誰にもわかりません。発言がなされるたびに、OKなのかNGなのかそのつどテストされる。

次のように言い換えさせてください——会話においては、どういう発言ならばその場のコードの「**適用範囲内**」なのか、というテストが行われている。

「適用」(application)とは、「当てはめる」という意味です。

これは法律の用語で、「熊本で大地震が起きたので、災害救助法を適用する」といった使い方をする。熊本の大地震に対し、災害救助法を当てはめることができる。反転して言えば、熊本の大地震は、災害救助法に当てはまる——それは「法によって想定される事態」である。

これと似たように、会話の流れでは、ひとつひとつの発言がコードに適切に当てはまるかどうか、つまりコードの「適用範囲内」かどうかが——この説明でもわかりにくければ、「**想定範囲内**」と言い換えてもいいです——、テストされている。このテストに引っかかる＝ズレているような発言がユーモアの効果をもつのです。

コードの適用範囲からズレた、ちょっと変なものの見方を持ち込むような発言。

具体的にどんなケースが考えられるでしょうか。

アイロニーのときの不倫報道の例でもいいんですが、気分を変えてみましょう。

たとえば、友達の恋愛について噂話をしている。

AがBにひどいことを言って、それで別れそうになったけど、結局よりを戻し、でもまたトラブルがあって、どうのこうの……。「Aってそういうとこヤバいよね」、「最悪だわ」、「Bは我慢してたらまずいよ」などと、Aを非難し、Bを心配する流れになっている。

ここでは、二人の関係を、「恋愛において人はこうあるべき」という、道徳的と言えるようなコードによって解釈しているわけです。

そこで、こんな発言が出るとする……「うーん、それってさ、音楽なんじゃない？」

これはズレているというか、「スベって浮いている」感じがすると思うんですが、まずこれをユーモアの例とします。これは、自覚的な発言であると想定します。

ズレた見方が、「連想」的に出てきている。

こういうタイプの発言は、場のコードをアイロニカルに壊そうとするものではありません。

「で、その心は？」という反応を引き起こすでしょう。

他のみんなは、ズレたキーワード＝「音楽」を、これまでの流れに合わせて、なんとか解釈するように強いられる。ズレを回収しなければならなくなる。

事態を「音楽」として捉えるという異質な見方を、どう受け止めたらいいのか。

恋愛について道徳的に語るという「こういう話をするもんだ」＝コードが、無理やりに音楽のウンチクの方にまで「拡張」されてしまう。


ユーモアにおいてコードは、壊されるのではなく、拡張される。


「音楽なんじゃない？」という発言の「心」は、たとえば、次のように解釈できると思います……「みんなが言うように、Aは悪いしBが心配だ、それはそうだとして、恋愛のそういうもつれは、音と音がぶつかったり、はたまた、きれいな和音になったりもする音楽と似ているんじゃないか？」

こんなふうにズレを回収することになる。

新たな見方が、元のコードをひねる――すると元のコードは、「音楽として捉える」という別のコードに、いわば「**コード変換**」される。

元のコードは壊されていません――「Aが悪い」、「Bが心配だ」というのは、それはそうなのです。ですが、急に「音楽として捉える」ことが強制される。きっと音楽のウンチクが始まるでしょう。すると、さらにそこから、気づいたら「最近注目のアーティスト」を語り合う状況になってしまうかもしれません。「で、何の話だったっけ？」という妙な空気になるわけです。

そもそもの「Aが悪い」、「Bが心配だ」は、半面では残っているのですが、半面ではどうでもいいかのようになってしまう。

それから、また別のパターンとして、何か専門的な知見を引っぱり出してきて、急に「解説」をし始めるというのもよくある「浮いた」発言です。これは勉強している人にありがちだと思いますが、先の「音楽なんじゃない？」と同じくユーモアとして捉えられる。

同じ例で、たとえば、AのBに対する言動について、「サル学で言うとね、ゴリラの研究で、攻撃性について何々って言っていて……」という解説が急にスタート。この場合でも、「Aが悪い」、「Bが心配だ」というのは、それはそうなのです。しかし、「人をサルとして科学的に観察する」というコードの方へと場が持っていかれる。話が拡張される。これが長引けば、当初の目的を見失うことになるかもしれない。こんな展開もよくあることで、日常的なことをわざわざ専門的に捉えようとする語りは、しばしばユーモアとして滑稽なのです。

本書自体が、この意味でユーモア的だと言えるでしょう。勉強を語っているはずなのに、いつのまにか言語の哲学になっていて、この話は結局どこへ行くのか？……というわけです。

ところで、アイロニーの説明で使った不倫報道の例でも、「不倫ってさ、音楽なんじゃない？」とでも言えばユーモアになりますね。

この例において、アイロニーとは、芸能人を非難する根拠＝「不倫は悪だ」を疑って、非難できなくしてしまうことだった。しかし、ユーモアの場合では、非難することをそれはそうだとしつつ、別の見方へと話をひねってしまうのです。他のみんなは、無理やりに成立させられる「不倫＝音楽」という等式を、なんとか解釈しなければならなくなる。

ユーモアは、このようにコードを転覆するのです。

元々話していた方向性が、いわば「半殺し」にされるようなものです。

ユーモアのおもしろさとは、「え、そんな話だったたっけ？」、「そもそもどこへ向かっ

てたんだっけ?」という、方向=目的喪失の感覚である。

あるいは、ユーモアによって話が拡張されると、いつのまにか、まるで最初からその「拡張された話」をしていたみたいになってしまうんですね。

話のコードはそもそも、つねに不確定なのでした。そこで、コードが変な方向に拡張されると、元のコードがどういうものだったのか、ますます不確定になる。だから混乱する。

そしてそれゆえに、自覚的なユーモアの操作は途中から危うくなるでしょう。狙ってやっているはずのユーモリストも含めて場の全員が、気づいたら=無自覚に当初の話から遠いところに流れ着いてしまっていた、となりかねないのです。

ユーモアの過剰――コード変換による脱コード化

無自覚に、ユーモア的なコード変換を次々にやってしまう人がいます。いわば「転々とする話」になる。

当人は話がつながっているつもりで、たとえば、音楽の話が、フランスのトイレ事情の話になり、プログラミングの話になり、ムエタイの話になる……ずっと元の話のままでありながらの「変換」としてこんな展開をすることが、できると言えばできる。

これを自覚的に一種のパフォーマンスとして操作するのは、高度な話術でしょう。しかしこういう「転々とする話」を無自覚にやってしまうことは、珍しくありません。なぜでしょう？

ユーモアによるコードの拡張は、原理的に際限がないからです。**コードの不確定性を最大限にまで拡張してしまえば、どんな発言をつないでもつながる、つながっていると解釈しさえすればいい、ということになる。**これがユーモアの過剰化であり、そのために無自覚な「転々とする話」が生じるのです。

別の見方の話にどうにでも持っていけるという意味で、あらゆる会話のコードが対等に変換可能となり、ひとつのコードに決めることができない。過剰なユーモアでは、話の「足場が多すぎて不在になる」のです。

アイロニーでは、究極の根拠を目指し、あらゆるコードを破壊し、足場不在になった。対照的にユーモアでは、コードは破壊されず、増えすぎてしまうという帰結に陥るのです。

ユーモアの過剰とは、「コード変換による脱コード化」である。

確認すれば、これに対しアイロニーの過剰とは、「超コード化による脱コード化」なのでした。

あらゆる話が、発言がつながる――さらに、ユーモアの過剰は、どんな言葉をどんな言葉につないでもかまわない、ということでもあるでしょう。言葉をどう使ってもいい、用法＝意味が無限になる。あらゆる言葉がつながり、全方位に意味を生じる。

言葉の用法＝意味は、通常は、ある環境のコードによって制限されていますが、コードとコードがどうにでも変換できるなら、その制限はなくなる。

この帰結を、**「意味飽和」**と呼びましょう。

言葉は、区別されたひとつの意味をもつことができなくなる。意味飽和は、あらゆる言葉が無意味になることです。意味は、一定の区別されたものでなければ、意味ではない。

ユーモアの極限は、**「意味飽和のナンセンス」**です。

ユーモアは、見方を変えることである。それは、コードの拡張をする。あるいはコード変換である。そして、ユーモアは、あらゆる話が全方位につながり、さらに、あらゆる言葉が全方位につながってしまうというナンセンスに至る――。

私たちは、アイロニーの過剰化をやめて、ユーモアに向かったのでした。

アイロニーは言語を破棄しようとするからです。

するとこんどは、ユーモアの過剰化として、言語が全面的に意味飽和＝無意味になるという帰結が想定される。これは、話・言葉の「**接続過剰**」である。そうなっては、言語は使い物にならない。ならば、過剰でない「ほどほどのユーモア」を操作するための条件を次に考えなければなりません。

ユーモアの分析をさらに進めましょう。

ユーモアは、ここまで説明してきたような、ズレた方向に話を「広げる」ことだけでなく、話を「狭める」こともできるのです。先取りして言えば、その分析が、「ほどほどのユーモア」はいかに成立するのかを考えることにつながります。

そこで、次のように名づけましょう。ズレた方向に話を「広げる」のは、「**拡張的ユーモア**」である。ここまでは、それを説明してきました。次に考えたいのは、話のなかのあるポイントに過度に集中して話を「狭めて」しまうユーモアで、これは「**縮減的ユーモア**」である。

もうひとつのユーモア――不必要に細かい話

縮減的ユーモアは、具体的には、「不必要に細かい話」というイメージです。ときどき、バランスを欠いて、細部をやたら長々と説明し始める人がいます。これはたいてい無自覚に起こる。勉強によって何かに詳しくなるとついやってしまいがちなことです。

たとえば、誰かが『ドラゴンボール』を「懐かしいよねー」と言い始める。どのキャラが好きだったとか、思い出の場面とか、テンポよく話が流れていた。ところがその途中で、こんな発言が始まる。「ヤムチャと言えば〝負けキャラ〟だよね、悟空に負けたときはどうでこうで、それから何々でも負けて、あと天下一武道会で天津飯に負けたときは、あの闘いは……」

この人は、まさしく『ドラゴンボール』の話を始めてしまった。

残念ながら、勘違いです。確かにこの場では『ドラゴンボール』が主題ですが、そのこと自体が目的なのではない。思い出を共有し、親睦を深めるという言語行為に主眼があるのであって、時間的な制約もあり、その限りでの話をするというのがここでのコードでしょう。

ところが、この発言のように細部が増殖していくと、他のみんなは置いてきぼりになり、言語が自己目的的になっていく。言語が言語として独立し始め、場から「浮いて」しまうのです。

本書では、これもユーモアの一種と見なします。

なぜなら、ここでも「適用」のエラーが起きているからです。

他のみんなは、親睦のために、加減しつつ『ドラゴンボール』の話をするのがここでのコードだと捉えている。ところが一人だけ、まさしく『ドラゴンボール』の話をすればここでのコードに当てはまる、コードの適用として適切だ、という勘違いをしているのです。

コードの一部である『ドラゴンボール』へとコード全体が「縮減」されている。

新しい見方へとコードが拡張されるのではなく、コードの一部へとコード全体が縮減されてしまうのが、「縮減的ユーモア」である。

この場合でも、拡張的ユーモアと同様、「え、そんな話だったっけ？」という目的＝方向喪失が引き起こされるから、これもユーモアなのです。

こうしたタイプの発言をボケの一種として自覚的にやることも考えられますが——わざと話の一部をクローズアップして、本来の流れを止めてしまう——、ここで問題にしたいのは、これが無自覚に起こりがちなのはなぜなのか、です。

『ドラゴンボール』は確かにみんなの主題なので、共同的に言語行為をしていると半面では言えますが、しかし、半面ではたんに自分の話に没頭し、孤立し始めている。

あるいは、「自閉的」な状態に向かっている。

縮減的ユーモア＝「不必要に細かい話」は、自閉的な面をもっている。

なぜ、不必要に細かい話にハマり込むのか？

先の人は、『ドラゴンボール』については「語れてしまう」知識が、言葉のストックがあるのでしょう。語れてしまうから、語りたくなり、語ってしまう。衝動的に。これは、知識を自慢したいとか、承認欲求を満たしたいといったことより、溢れる言葉に乗っ取られたような状態ではないでしょうか。自分にとってどうでもよくない何か、「こだわり」をもつ何かが、自分を衝き動かしてべらべらと語らせてしまう。自分がそれを語るというより、こだわりのスイッチが押されて言語が溢れ出し、言語に乗っ取られ、腹話術の人形のようになってしまう。

（ところで『ドラゴンボール』に詳しい方ならば、ヤムチャについての話は、定番の話＝テンプレにすぎないと思われるかもしれません。しかし、ここで説明したいのは、先の人は、ともかくも『ドラゴンボール』に何かこだわりをもっていて、『ドラゴンボール』が話題になるやいなや、テンプレ的なウンチクでも、個人的な感想でも何でも、とにかく言いたくなってしまう、言葉が溢れてしまうということです。）

　そうなると、理解を求めるのは二の次で、言うことそれ自体が楽しいのです。その楽しさがさらに言葉をドライブする。そういう語りは、もはや言葉を言っているというより、たんに「口をもぐもぐすること」の原始的な気持ちよさに近い。口の、身体の「**享楽**」に浸っている。

　縮減的ユーモアでは、「**享楽的こだわり**」のために口を動かしている。

　この「享楽」という言い方は、違和感があるかもしれませんが、「快楽」と同じだと思ってください。これは、ラカン派という精神分析学の一派で使われる用語で、ここではその文脈を念頭に置いています。

　意味のためではなく享楽のために、言語を使っている。それが、自己目的的に気持ちいいだけの言語の玩具的使用です。おもちゃで遊ぶというのは、それ自体が楽しいことなのです。

縮減的ユーモアは、自分の享楽のための、言語の玩具的使用であると考えられる。

縮減的ユーモアでは、話を細部に絞るだけではなく、意味の次元自体を縮減する。

逆に、拡張的ユーモアでは、意味の次元自体を拡張して、あらゆる言葉が全方位につながるという接続過剰に至るのでした。

無自覚に、こだわってしまう何かがある——。

さらに過剰化を考えましょう。

先の例には『ドラゴンボール』という共通項がありました。それすらなしになるのが縮減的ユーモアの極限形態です。

それは、何のことやらわからない話を、こちらに語りかけているのかどうかわからない調子で、宛先不明に言い続けている「独語的」な状態でしょう。

もはや場に介入しようとしていない、場を無視したような状態なので、コードを壊そうとしているわけではありません。そういう語りは、「それを言いたいんですねえ」と、たんに「文字通り」に受け止めるしかないものです。先の『ドラゴンボール』の例は、共通項があるために、半分まで独語的になっていると言えるでしょう。

独語的になる、それは、話しているというより、何か大事なモノを手のひらで揺すり続けるような状態になることです。こだわりをもてあそんで、自分の享楽を循環させている。人にメッセージを伝えるためではない。ただそれだけで大事な何か、意味以前の何かがある。

「享楽的こだわり」と「非意味的形態」

享楽のための語りには、人それぞれに特異なこだわりがあらわれている。

それは、個性のあらわれにほかなりません。

こだわりとは、何なのでしょう。

何かの作品、あるキャラクター、味や色、言葉などへのこだわりをもっている。それがなぜ自分にとって重要なのか、ある程度なら理由を説明できるかもしれません。しかし、こだわりとは、この身体にたまたま生じたもの、何か他者との偶然的な出会いによって生じたものであり、根本的に言って理由がない。こだわりには、人生の偶然性が刻印されている。偶然的な出会いの結果として、私たちは個性的な存在になるのです。

こだわっている何かは、偶然的な出会いのときに、自分に強くインパクトを与えたものでしょう。それはトラウマ的とも言える経験で、不快でありかつ快でもある。それは意味以前の出会いである。何事なのかを考える余裕なしに速く、強く、何かが自分にぶつかってきた。こういうことを「強度的」と言いましょう。こだわりとは、「偶然的で強度的な出会いの痕跡」なのです。その不快かつ快を、繰り返し味わい直すことが、享楽なのです。

享楽的な語りとは、強度的な語りである。

こだわりが語り始めてしまっている。それは、メッセージではなくて、「こだわる身体のあらわれ」です。

意味を伝えるためではない強度的な言語のあり方を、言語の「非意味的形態」と呼びたい。

言語の非意味的形態とは、言語から意味を縮減して残るもの、音のまとまったカタチ、しかし凍りついたものではなくて、ダイナミックに波打っているようなカタチである。

享楽的で強度的な語りにおいて、言語の非意味的形態は、自分の身体にこだわりを形成したもの……味とか音とか、キャラクターの髪型などの、強くインパクトを与えるものとしてのあり方、強度的なあり方、すなわちそれらの非意味的形態に、結びついている（ここでは、味でも音でも、図像でも、匂いでも、何でもについて「形態」があると考えているのです）。

私たちが言語の非意味的形態をもてあそぶとき、そのことは、自分が出会った何かの非意味的形態につながっている。

縮減的ユーモアの極限は、「形態のナンセンス」である。

補足しますが、いまの説明では、「無意味」ではなく「非意味」としたことに注意してください。アイロニーとユーモアの極限では、まさしく「意味がなくなる」＝無意味になるのですが、いま問題にしているのは、「意味の次元と同時に存在する、意味ではない次元」です。意味がなくなるわけではない。非意味的形態と意味は、重なりあっている。簡単にするためにナンセンスという言い方で統一しますが、無意味と非意味にはそのように違いがあります。

言語のラディカルな玩具的使用は、ひとりひとりに個性的な享楽的こだわりをあらわす使用なのです。その人に独特の、勝手な喜びに満ちている語り。

これが、言語使用の、意味的＝共同的ではなく、自閉的な面なのです。

第一章では、勉強とは、あるノリから別のノリへの引っ越しであるとしました。別のノリに引っ越そうとして、別のノリでの言葉づかいに慣れる途中で、使い慣れない言葉が「浮く」感じを経験する。言葉が、道具として使えずに、音の塊、不気味なモノになる。

それは、洗濯機が壊れると急によそよそしい物質性を発揮することに似ている。

そういう状態が、言語それ自体なのです。言語が用法をリセットされた状態、新たな用法で使い直すことのできる、可能性に満ちた「卵」の状態です――このように「卵」的であるという意味で、「器官なき言語」という言い方もしました。

「言語それ自体」＝「器官なき言語」とは、非意味的形態としての言語、たんに何かインパクトがあるものとして自分にぶつかってくるカタチであり、私たちはその状態の言語と、勉強において、ノリからノリへの引っ越しにおいて、出会い直すのです。

アイロニーからユーモアへ

ようやく、本章も終わりに近づいています。

これまでの議論で、アイロニーと二種のユーモアの過剰化によって、ナンセンスの三つの形態が出てきました。リストにしましょう。

アイロニー　↓　言語なき現実のナンセンス
拡張的ユーモア　↓　意味飽和のナンセンス
縮減的ユーモア　↓　形態のナンセンス

アイロニーからの流れを確認すると、次のように説明できます。
まず、自分の置かれている環境を客観視するという意味で、最小限のアイロニー意識をもつのが大前提なのでした。その上で、

(1)アイロニーを深める、すなわち、環境のコードの根拠を徹底的に疑っていくなら、ついには、言語を――環境依存的であるしかない言語を――破棄し、言語というフィルターを通さずじかに「現実それ自体」に触れたいという欲望になる。それは、極限としては、もはや何も言うことができない状態、「言語なき現実のナンセンス」になる。そこで、

(2)あらためて、環境ごとに異なるコードでの言語使用を認めるのがユーモアへの転

回である。まず、拡張的ユーモアは、複数の環境をコード変換で行き来できるようにする。このことを先に、「諸言語の旅」と表現したのでした。

以上を、「**アイロニーからユーモアへの折り返し**」と呼ぶことにしましょう。

（2-1）しかしユーモアが過剰化されると、極限としては、あらゆる言葉がつながって、言語がトータルに無意味になるという「意味飽和のナンセンス」が想定される。ならば、諸言語への旅は、旅として成立しなくなる。比喩的に言えばこれは、「どこかへ行くことが、即、世界中に行くことになってしまう」という状態なのです。

では、拡張的ユーモアにおける話・言葉の「接続過剰」はどうやって止まるのか？

事実上、私たちは、あらゆる話・言葉をどうにでも行き来できたりしません。私たちは、ひとりひとりそれぞれに、言葉をめぐる何らかの「重みづけ」をもっているのです。その「重みづけ」が私たちを「何でもどうにでも言える」のではなくさせる。

本書では、その「重みづけ」は、享楽的こだわりによるものだと考える。私たちは、自分を個性的な存在とする、非意味的形態の遊びをもっている。

（2 - 2）縮減的ユーモアは、非意味的形態としての言語をもてあそぶ、強度的で享楽的な語りである。これは「形態のナンセンス」である。そこで、次のように考えます。

個々人がもつさまざまな非意味的形態への享楽的こだわりが、ユーモアの意味飽和を防ぎ、言語の世界における足場の、いわば「仮固定」を可能にする。

このことを、「形態の享楽によるユーモアの切断」と呼びましょう。話・言葉の接続過剰を止める、だから「切断」という言い方をするのです。

以上の過程では、周りと自分自身をアイロニカルに突き放して捉える態度がずっと続いています。勉強はアイロニーを基本とするのです。ゆえに、（2 - 2）の次がありまず。

自分の享楽的こだわりに対しアイロニカルに疑いを向けて、たんに「自分のこだわりはこうだからこうなんだ」というだけにならない、という段階。本書では、享楽的こだわりは、絶対に固定的なものなのではないと考えます。もし絶対に固定的なのならば、私たちは、運命的に自分のこだわりに従って生きるしかなくなる。だがそうではないのです。深い勉強は、ラディカル・ラーニングは、自分の根っこにある享楽的こだわりに介入するのです。

(3) **享楽的こだわりが、勉強を通して変化する可能性がある。**

この段階は、次の第三章で扱うことにします。

ユーモアを切断して意味を成り立たせる刃は、絶対に固定的なのではなく、変化する。

以上をまとめたものが、次ページの図です。

享楽のノリが究極のノリである

自由の余地は、むしろ「ノリが悪い語り」に宿る。本章ではそう考えてきました。

通常は、私たちは周りのノリにノっている。

とすれば、最もノリが悪いのは、たんに自分の享楽だけをぐるぐる回している状態です。

非意味的形態をもてあそんでいる状態です。それは目的なきダンスのようなもの。

ここにおいて、ノリという言い方の意味を変える必要がある。

周りに関係なく「自分でノっている」だけ、脱共同的で自己目的な享楽のノリ、こだわりのノリは、最悪にして究極のノリである。これこそが、ノリである。ダンス的な

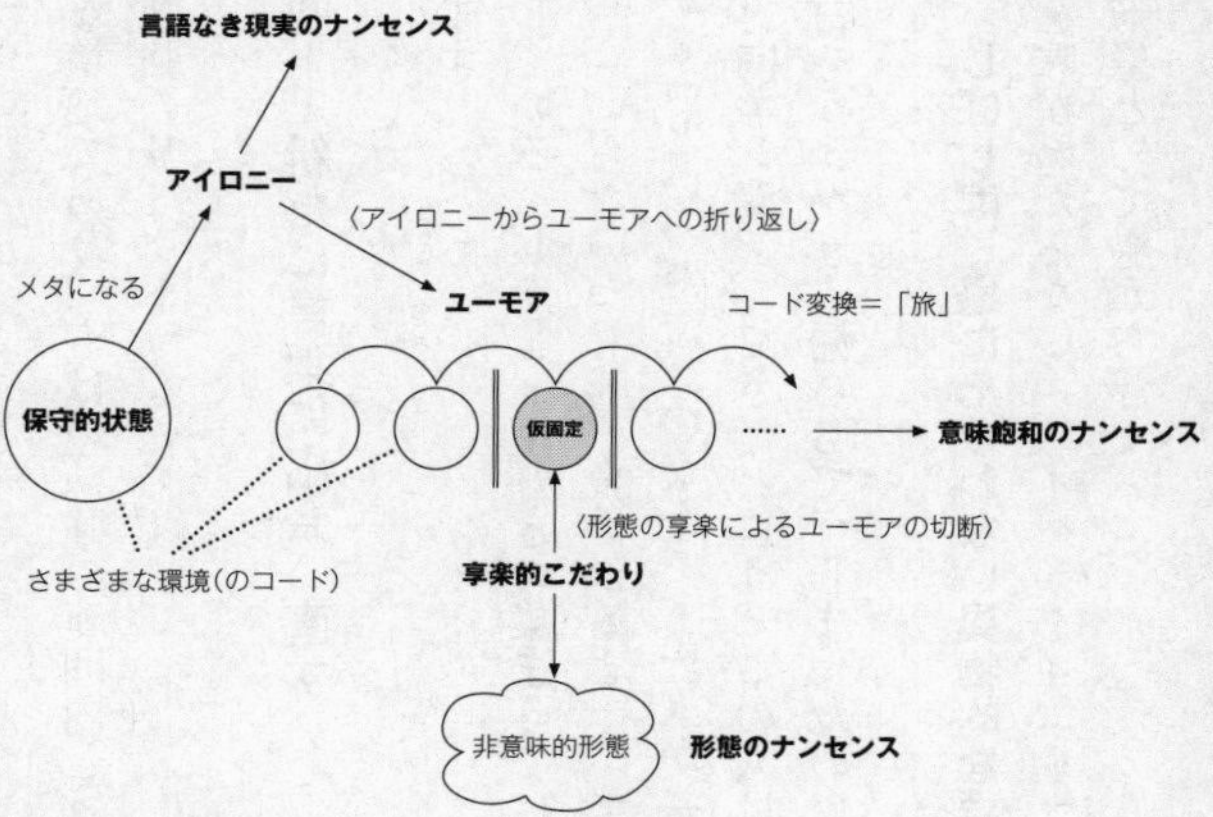

図2　アイロニー、ユーモア、ナンセンス

ノリ。

そしてこれは文学的な境地であり、もはや勉強の範囲内とは思えないかもしれませんが、その境地こそが「勉強のリミット」なのです。

名づけの原場面——新たに言葉に出会い直す

こんな例を考えてみます。

車について世間話をしている。しかし、車好きの集まりではありません。「車あったら便利かな」、「いらないっしょ、金かかるよ」、「でも、あったら何する?」、「バーベキュー行くとか?」といった流れのなかで、一人が「スバルはすげえと思うんだよね、ずっと〝水平対向エンジン〟でさ」と言う。この人はおそらく、知識が念頭にあったことで、この発言をうっかり「漏らして」しまったのでしょう。

知識が増えてくると、しばしば、場にそぐわない異物的な語を漏らしてしまう。

他のみんなにとって意味がわからない「スイヘイタイイコウ」は、漢字変換もできない。それは、たんなる音の形態として場から浮く。

これから使い方を知ろうとする、慣れない言葉の違和感は、言葉と出会った最初の時を思い出させる。言語を道具として使っている日常では、その最初の時を忘れている。たんなる音の形態、非意味的形態が、意味ある言葉へと変貌していったあの時期――。「スイヘイタイコウ」は、口をもぐもぐさせ、音の形態によって何かを「そう呼ぶ」ことにしたあの「名づけの原場面」を、私たちにあらためて意識させるのです。

そもそも、どういう形態で名づけるかは偶然的だった。「リンゴ」は、「クジラ」でも「リリリリ」でもよかった。英語では「アップル」になるし、フランス語では「ポム」です。あらゆる語はたまたまその形態なのであって、別の形態でもよかった。あらゆる名づけは、偶然的にそう呼ぶことになったのであり、究極の根拠はない。

ここには、「言語を使う人間になることの入口でのとまどい」があらわれている。他者によって強制的に、言語がこの体に刻み込まれた――。言語とは、傷跡です。

言語の形態が、この身に刻まれた。それは刺青《いれずみ》である。その痛みをともなう形態との出会いを、しかし私たちは享楽している。マゾ的に。

非意味的形態としての言語が刻み込まれたときの痛みを享楽するというのが、言語を使う人間にとって根本的なマゾヒズムである。

勉強とは、新たに言葉に出会い直すことで、その「言語の痛気持ちよさ」をまた反復することなのです。だから、人は勉強を恐れるのではないでしょうか。言語という他者が自分を乗っ取ることの恐ろしさと気持ちよさの謎めいた混合を、恐れるのではないでしょうか。

僕のちょっとした思い出話をさせてください。

たぶん小学生のとき、冬の日に、「呼気《こき》が白いね」と言ってしまい、「呼気」という語を珍しがられ、周りにからかわれたことがありました。「息が白い」と言えばよかったわけです。「呼気」なんて普通は言わない。医学用語で「吐く息」という意味です。逆の言葉は「吸気《きゅうき》」です。これも普通は言わないですね。どこかで「吸気／呼気」という対を知って、うっかり使ってしまった。何か、勉強し始めていた時期だったのでしょう。「コキ」というのはどういう字なのか、と聞かれたのを覚えています。

僕は、勉強するなかで、周りに何か疎外感をもつようになっていたのかもしれません。

それで、周りをはねつけるために、こんな異物的な語を、漏らしたというより、わざと突きつけたのかもしれない。自由になるために、「僕は自由なんだ」と主張するために。コキ。その言葉をどこかで偶然的に刻み込まれてしまったという不自由、そのトラウマを享楽しながら、僕はわざとその言葉を周りに突きつけている――ほら、ここに言葉の「卵」があるよ、ここから僕のあらゆる可能性が始まるんだ、と。

＊　＊　＊

これで、言語論的な考察は完了しました。

アイロニーとユーモアはどう使うのか、それぞれの過剰がどんなナンセンスになるか、さらに享楽と形態について、という順に論じてきたわけです。

深い勉強、ラディカル・ラーニングの進展は、次のようになっています。

(1) アイロニーから始め、その過剰化をせずにユーモアへ転回し、
(2) そして、ユーモアの過剰化を防ぐために、形態の享楽を利用する。
(3) さらに、これは次の第三章で説明しますが、享楽の硬直化を防ぐために、アイロニカルにその分析をする。

本書では、この先でもアイロニーとユーモアの対立を応用していきます。ここまでの説明で飲み込めない点があっても、要はツッコミとボケが、ものを考えるときの両極なのだと理解して読み進めていただければと思います。

第三章　決断ではなく中断

第二章での言語論によって、本書の「原理編」はおおよそ全貌をあらわしました。この第三章から「実践編」にシフトしましょう——ここでは、どうやって勉強のテーマを見つけるかを、実際みなさんに試してもらえるワークによって説明します。ですが、同時に「原理編」をもう少し続けます。いかにして勉強を「有限化」するか、という問題を原理的に考える必要がある。この問題に、やはりアイロニーとユーモアの対立を使って答えを与えることで本書の「原理編」は完結します。

そして、最後の第四章が本格的に「実践編」であり、勉強を進めるための基礎的なテクニックを説明します。

本章で提案するのは、アイロニーとユーモアを自分で自分に向ける、自分を構築している環境のコードに対して向けるという方法です。さらに、これはなかなか難しいのですが、昔からこだわっている何か、享楽のポイントを自己分析する方法も最後の方で紹介します。

現状把握から問題化へ、キーワード出しへ

まずは、生活のさまざまな場面を退いて眺め、どういう環境のなかで、どんな「こう

するもんだ」＝コードに合わせているのかを把握しようとする。自分が、また友人や上司が、なぜそういう生活をしているのか、というより、させられているのか？　仕事のやり方、恋愛観、好きな音楽などが、なぜ「そういうことになっている」のか？　退いた視点からの、つまりメタな立場からの現状把握をする——これが、最小限のアイロニー意識です。ここから勉強がスタートする。

そして、生活にわざと疑いを向けて、問題を浮かび上がらせる、「**問題化**」するのです。

わざと問題を立てることが、勉強です。問題を見ないようにしたければ、勉強することはできません。繰り返しますが、勉強とはノリが悪いことなのです。ときにそれは不快なことかもしれない。でも、わざとそれをやるのです。勉強というのは「問題意識をもつ」という、スッキリしない不快な状態をあえて楽しもう、それこそを享楽しようとすることなのです。

身近な問題意識から発して、大きなスケールに視野を広げてください。自分がいる会社のつらさは、日本社会の問題でもあり、グローバルな問題でもある。自分の恋愛の悩みも、友人がラップに夢中であることも、何か「**大きな構造的問題**」のなかにある事態なのです。

生活の現場から勉強の芽を育てる方法を具体的に考えてみましょう。

次のような三つのケースを考えてみます。なお、この三つは別人の話だと捉えてもいいし、同一人物の話だと思ってもかまいません。

(1) 仕事がずっと忙しい。休みの日もつぶれてしまう。がんばってると思う。雑務も多いし、なんとかこなしているだけで時間が過ぎていく。ひと通りのことはできるようになったから、もっと大きな仕事をしたいけど、この状況でがんばり続ければいつかタイミングが来るんだろうか。給料も、いまはこのくらいで満足するしかないんだろうか。

(2) 三〇歳前後、アラサーの女性の集まりで結婚の話題になる。先に結婚した方が勝ちみたいな空気。自分はこれまで結婚にこだわらず楽しく仕事をしてきたはずなのに、「外圧」を感じて、どうしたいのかわからなくなってきた。そんなにモテる方じゃない、というかモテとか気にしないできたけれど……。やっぱり結婚するもんなのだろうか。

(第二章、七〇頁で出した例にさらに肉づけをしました。)

(3) 大人気のアニメ映画『君の名は。』を観に行って、すごく感動した。泣いてしまった。映像がきれい。RADWIMPS の曲もいいよね。その後、SNSを眺めていたら、悪く言っている意見があった。「売れるためにあざとく狙ってる」だとか。自分は感動したからいいんだけど。

　まず、生活の場面を淡々と思い浮かべる。そして、その背景にある環境のコード＝「こうするもんだ」をあぶり出し、どうしてそう強いられているのか、自分はそのなかでどう踊らされているのかを、アイロニカルに＝自己ツッコミ的に考えてみる。

　そしてそのなかで、ある程度「抽象的」なキーワードを出していきます。抽象的というのは、具体的な経験に対し、大きく括《くく》るような、あるいはギュッと本質的に凝縮して捉えるような、ということです。コツですが、わざと「堅い言葉」でオーバーに言ってみるならどうか、という意識で考えるのがいいでしょう。生活から勉強へと進むには、ネットで検索するためにも、**「抽象的で堅いキーワード」**を思いつくことが必要なのです。

　ちょっとやってみましょう。

(1)のケースならば、会社では与えられた役割を果たしていればよい、休日返上で忙しくて当たり前だ、といったコードに不満がある。しかし、自分は「キャリアアップ」をしたい、時間の余裕もほしい。「ワークライフバランス」が大事。……という感じで、いま試しにカタカナ語でキーワードを出してみましたが、「忙しい　仕事　生活」とか、簡単なネット検索をやってみて、引っかかるキーワードを探すといいでしょう。検索によって抽象的なキーワードを探す。これは勉強を始めるための「予備勉強」です。

　では、キャリアアップのためには、別の会社に移ったほうがいいのか？

　しかし、「自分は損をしてるからどうにかしたい」という発想では、視野が狭いのです。

　もっと広く、環境の大きな構造的問題にツッコミを入れる。

　この人は、まだ若手だとしましょう。自分だけでなく他の若手も、下働き的な状況から出にくい構造がある。ひどくなると「ブラック企業」はもっとそうだろう……。スケールをさらに日本社会に広げてください。抽象化します――いま考えているのは、要するに「労働」の問題である。自分は「労働者」である、「日本の労働問題」にコミットしているのだ、と考える。

　わざとそう大げさに考えるのです。

この「労働」のように、大きなスケールへの抽象化をするには、まず、中学高校で学んでいるはずの一般的な抽象概念を使えばよい。

なぜこの会社ではこういう労働を当然視しているのか、つまり、こういう労働のコードなのか。それは日本の、さらにはグローバルな労働の構造的問題のあらわれなのです。キーワードをさらに追加しましょう。労働の問題は、「資本主義」の問題に含まれる。今日の「グローバル資本主義」、そのシステムのなかにあなたもいる。

今後のためにどうするか、時間を作って「マーケティング」の勉強をして、「生産性」を上げる……ひとまずそう考えてみる。いまの自分に近い勉強のテーマ設定です。ですが、それだけではラディカル・ラーニングとしては不十分です。

自分の状況は大きな構造的問題のなかにあり、自分一人の問題ではない、というメタな認識をもつことが勉強を深めるのに必須である。

地球規模で、私たちに労働を「こうするもんだ」と強制しているグローバル資本主義の構造について学ぶならば、いまの会社でマーケティングをやるにしても、なぜこの時代状況においてある商品が求められるのかをいっそう本質的に考えられるでしょう。

そして、流行りのテーマを勉強すればキャリアアップできると思っている自分に、残酷なまでに自己ツッコミを入れてみる。自分のがんばりは、たんに踊らされているだけじゃないのか……。それは、根本的に、「そもそもがんばって働かなきゃいけないもんなのか?」という深い疑問にもつながるでしょう。

労働とは何か? グローバル資本主義とは何か? 「働かざる者食うべからず」というのはなぜそうなってしまっているのか? このように、自分の現状や興味を大きなスケールの抽象的な問題につなぐのが、勉強の「深い」テーマ設定なのです。そこからクリエイティブな生き方が芽吹いてくる。メタな勉強によって、いまの環境でうまくやること以上に、裏道を行くような可能性、新たな「ワークライフバランス」の余地を発見できるかもしれない。

キーワードを専門分野に当てはめる

以上のように、抽象化の作業をしながら「キーワード出し」をする。そして次には、そのキーワードが、どういう「専門分野」に該当するのかを考えます。

勉強するというのは、何かの専門分野のノリに引っ越すことである。

このときには、近いスケールで具体的に考えられる分野、これを「**直接的分野**」と呼ぶことにしますが、それを挙げた上で、もっと大きなスケールで関係しそうな「**間接的**

分野」の名前も挙げてください。

たとえば(1)で、キャリアアップのためにまず思いついている「マーケティング」というキーワードで検索し、ウィキペディアやブログをざっと見てみれば、分野名として「マーケティング論」が出てくるでしょう（このように「論」とか、あるいは「学」をつけると分野名になることがよくあります）。これは(1)の人にとって、直接的分野です。

しかしそこで止まらず、先を考えてほしい。

たとえば、マーケティング論では、経済のさまざまなデータを使います。ゆえに、経済学や統計学を知る必要もある。社会の動向を問題にするので、社会学も関わります。

このように、マーケティングの先に間接的分野の候補が挙がってくるのです。

また、いまの会社でのキャリアアップ自体をアイロニカルに疑うことで、労働と資本主義という大きな構造的問題のキーワードを出しておきました。

労働と資本主義は、社会学や経済学の根本問題です。

直接的分野であるマーケティング論の先に見えてきた社会学や経済学は、自分の現状をメタに捉えるための間接的分野でもある。

社会学や経済学、哲学とか数学のような基礎的で歴史の長い「学問」は、いまの環境で何かをうまくやろうとする、それにわざと自己ツッコミを入れる、という相反する方向のどちらにも関わってくる。

歴史ある学問は、環境に「いながらにしていない」ような思考を可能にする。

いまの環境内での生き方を改良するという道筋、あるいは、いっそ外に出てしまおうという道筋、という相反する可能性を総合的に考えさせてくれるという意味で、歴史ある学問はひじょうに柔軟に役立つものなのです。

発想法としてのアイロニーとユーモア、追究型と連想型

以上では、ツッコミ＝アイロニー方向で勉強をスタートしました。より本質的に根拠を求めるという方向です。大きな構造的問題を考える、それは、自分がなぜこういう生き方にさせられているのかの根拠を「追究」するということです。

アイロニー的に勉強のテーマを考える。それは「**追究型**」と言える。

他方で、ボケ＝ユーモア方向もある。それは「**連想型**」です。

キーワードを出すのにも分野を想定するのにも、追究と連想がどちらも使えます。

マーケティングで聞き取り調査をしたい。聞き取り調査の方法や難点は、社会学において研究されている。だから社会学を勉強するべきだ。というのは、調査方法の根拠を確かにするというアイロニー方向の発想です。追究は、タテ、垂直方向でイメージしてください。

他方で、ヨコ、水平方向に連想して、別のヴァリエーションを挙げるのがユーモア。たとえば、マーケティングを中心に置いて、他のキーワードを連想する。若者文化を知っていた方がいいだろう、動画サイトで流行っている同人音楽について調べよう。さらに連想し、スマホゲームの状況も知りたくなる。そこからタテへ、追究へ行くならば、遊びの社会学や、「ゲーム・スタディーズ」（ゲーム研究）が待っている。どこかのブログから、ゲーム・スタディーズで重要なイェスパー・ユールの著作『ハーフリアル』にたどり着けるかもしれない。

さあ、きりがなくなってきました。勉強はこのように、追究・連想をしていくと、どんどんきりがなくなっていく。本章ではそこで、勉強のきりのなさにどうやって対抗するかをこれから説明したいのです。

ここまでをふまえ、(2)と(3)のケースではどんなふうに勉強を展開できるか、ちょっと考えてみてください。

いま気になっていることから出発し、追究と連想（アイロニーとユーモア）の合わせ技を使って、抽象的で堅いキーワードを考え、それが属する直接的分野、間接的分野を挙げる。

簡単にやってみましょう。

(2)で問題になっているのは、アラサー女性に対する結婚のプレッシャー、「外圧」です。

結婚して勝ち抜けるのか、できなかったら負けなのか。キャリアを手放さずに家庭をもつことが女性にとっての幸せなのか。子供を産むとしたらそのタイミングをどう見極めるのか……。ここには、現代社会における「女性の立場」という構造的問題があります。そのなかに自分を位置づけ、メタに俯瞰する。

恋愛と結婚、仕事と結婚、女性と労働環境……こうしたキーワードで検索すれば、統計データや法律が出てくるのと同時に、おそらく「フェミニズム」の議論にたどり着くでしょう。歴史的に抑圧されてきた女性の立場を解放しようとする研究分野です。

(3)のケースでは、作品名で検索し、基本情報から調べていく。『君の名は。』の監督、新海誠の作風は、「セカイ系」というキーワードで語られていることがわかるでしょう。セカイ系とは、自分の身の回りの状況、とくに恋人との関係と、「世界の破滅」のような途方もなく大きいスケールの出来事が短絡され、そのあいだの社会的な次元がすっかり抜け落ちているというタイプの物語です。このキーワードは「ゼロ年代」に流行したもので、「批評」という分野に当てはまる。こうして調べることで、何か作品を鑑賞して感動したとかダメだったというだけでなく、その作品が大きな文化状況にどう位置づけられるのかというメタな考察の可能性が開けてくる。文化的な事柄でも、抽象的で堅いキーワードを媒介にして、何か大きな構造的問題を考えるのが、深い勉強です――セカイ系の物語がゼロ年代に流行ったのは、その当時の日本文化がどういう問題を抱えていたからなのだろうか?

勉強のきりのなさ

キーワードを出し、当てはまる分野を考えるというやり方で、勉強の範囲はどんどん広がっていく。ですから、何かに「絞って」勉強する方法を考える必要があります。ただでさえ情報過剰な現代では、「絞る」のが難しい。

いまやってみたように、ちょっと真剣になれば勉強はきりがないとわかります。当然ですが、あらゆることを勉強することはできません。

第一章で、無限vs.有限という対立が、本書では重要になると述べました。勉強は無限に広がってしまう。逆に、絞って勉強するというのは、哲学的な言い方をすると、勉強を「有限」にする、「有限化」するということです。「まずこれだけ」、そして「ここまででいい」という「有限性」を設定しなければ、勉強は成り立ちません。

勉強の有限化が必要である。

しかしそれは案外ややこしい話になる……。本章でも原理的に考えていきます。

勉強は、二つの方向できりがなくなる――追究と連想、アイロニーとユーモアです。言い換えれば、「**深追いのしすぎ**」と「**目移り**」になる。勉強はアイロニーが基本なので、「**深追いしているうちに目移りしてしまう**」というのがよく起こることです。

先の(2)のケースで、何かフェミニズムの本を一冊読み、ある程度の知識をゲットできたとしましょう。でも、そこで終わりにはならない、というか、なるべきではない。そもそも勉強はアイロニーが基本なのであり、第二章で見たように、アイロニーは際限なく深まる。

何か入門書を一冊読めばわかりますが、一口にフェミニズムと言っても、複雑な論争があることがわかります。フェミニズムはぜんぜん一枚岩ではありません。

女性は女性であることで連帯すべきなのか。主婦ではダメなのか。問題は複雑です。

女性に力を与えるための確実な根拠は何なのか……と根拠の深追いが始まる。そして困ったことに、アイロニーは停止せず、遥か遠くに「絶対的な根拠」=「真理」を目指して、途中のハンパな根拠づけを破壊していくことになる——。

深追いから目移りへ。女性の労働について深追いすれば、労働という問題の巨大さに気づき、日本の雇用システムの問題に深入りし、関連する本を漁《あさ》り始めたら、女性のことはどこかへ行ってしまう。よくあることです。

さらには、性とは何かとか、社会とは、欲望とは何かとか、テーマはデカくなって、最終的には「世界のすべての絶対的な根拠を知りたい」になってしまう。

世界の真理がついに明らかになる「最後の勉強」、そんなものはあるのか？

もしかしたら、哲学や数学はきわめて抽象的で原理的なので、それこそ「最後の勉強」なんじゃないかと思う人がいるかもしれません。が、そこでもアイロニーは止まらない。哲学や数学でも、現状、学者の世界において究極の根拠づけの合意はありません。

アイロニーに主導権をとらせたままならば、全方位にあらゆる問題にツッコミを入れ続けながら、決して到達できない究極の真理を夢見続ける、という人生になりかねないのです。

僕が言いたいことはシンプルです——「最後の勉強」をやろうとしてはいけない。「絶対的な根拠」を求めるな、ということです。それは、究極の自分探しとしての勉強はするな、と言い換えてもいい。自分を真の姿にしてくれるベストな勉強など、ない。

深追い↓目移り↓深追い↓目移り……というプロセスを止めて、ある程度でよしとするのが勉強の有限化です。その方法も、アイロニーとユーモアの対立を使って考えてみたい。

考えて比較をする

どうやって勉強を有限化したらいいのか？

社会学をやるにしても、情報は溢れている。あるブログでは、手軽な新書がいくつか紹介されている。新書か……でも、こっちの厚い教科書の方がいいんだろうか。さらに深めたいのなら、哲学の知識も要るんだろうか。だとしたら、哲学はどの本から読んだらいいのだろう。

こうした悩みは、「比較」の悩みであると言えるでしょう。

何をどんな手段で勉強すべきか、選択肢を比べて結論を出そうとしている。しかし、明らかですが、比較は真剣にやり始めたらきりがない。ベストな結論にはいつまでも到達できません。だからたいがいは、ある程度考えたら緊張の糸が切れ、なんとなくで、まあこの本から読むか、というように決めることになるでしょう。

ある意味で、それで正解だと僕は思います。

しかしなぜ、「なんとなく」の結論に至ることができるのか。比較は真剣にやったら終わりませんが、普通は、ほどほどで「切り上げる」わけです。

そのことの意味を考えていきたい。

まず、浅いレベルとして、環境のノリで決めているという面がある。たいして考えずに、周りのみんなが読んでいる本だから読んでみる。そういうノリです。これでは、ちゃんと比較しているとは言えません。極端に言えば、考えずに周りの指示に従っているのです。

環境のノリから自由になるには、しかし、考えて比較をする必要がある。

書評サイトを読むとか、情報を集めて考える。しかし、情報を増やせば考慮に入れるべきことはきりがなくなる。比較をなんとか有限化しなければならない。どうすればいいいか。そうして結局、面倒になったら、周りのみんなに合わせて決めてしまえばラクである……これはこれで有限化の方法です。ですが、本書において私たちは、周りから、環境から、自由になろうとしているわけです。

信頼できる情報にもとづく比較を、ちゃんと自分なりに引き受けて、ある結論を、しかし絶対的にではなく仮の結論を出すのでなければなりません。

二つの問題がある。

第一に、「信頼できる」とはどういうことなのか。先に「書評サイト」を挙げましたが、信頼できないものもあるでしょう。誰の、どんな情報ならば信頼できるのか。しかし絶対的な信頼性はありえません。この問題はいったん脇に置くことにします。

第二に、「自分なりに」比較を引き受けるということ。

それは、興味関心、好き嫌い、向き不向きといった自分の個性が判断に関わるということです。すなわち、「享楽的こだわり」が比較検討において重みづけをする。気持ちよく生きていくためにはどうしてもそうなってしまう（そもそも人は、気持ちよく生きるのでなければ生きていけません）……そういう自分に特異な、奥底のこだわりが情報と絡みあって、一定の結論が生じるのです。

情報の信頼性は欠かせない基準ですが、信頼性は絶対的ではないので、際限なく比較ができてしまいます。だから、ある程度の客観的な基準として信頼性を置いた上で、集まった情報のなかで最終的に絞り込みをする基準は、自分なりに=主観的に、なのです。

自分なりに考えて比較するというのは、信頼できる情報の比較を、ある程度のところで、享楽的に「中断」することである。

信頼できる情報に自分の享楽を絡めて考えて、「まあこれだろう」と決める。

こうした「比較の中断」が、勉強を始める際にも勉強の最中にも必要なのです。

このことをさらに説明する必要があります。ですがその前に、浅いレベルで環境のノリに合わせて決めるのと正反対の関係にある、「決断」について見ておきましょう。

勉強の対象、範囲を有限化するためには、三つの方法があることになる。ここで、決断と中断の対比はアイロニーとユーモアに対応している。

(1) 環境のノリに合わせる：保守的な有限化

(2) アイロニー：決断による有限化

(3) ユーモア：比較の中断による有限化

決断とは、極度に強い「自分なりに」です――それは、自分が消滅するほどに強い。

というのは謎めいていますが、意味はこれからわかります。

決断は、環境の絶対的な外部に出る、他のみんなをガン無視する「自分なりに」です。

誰が何と言おうとかまわない、自分の絶対的な決断。

それこそが、ある意味で、環境のノリから脱するための究極のやり方でしょう。

しかしそういう決断は、本書では、避けるべきだと考えるのです。

アイロニーから決断主義へ

決断は、実はアイロニーを徹底した場合に起こる。

アイロニーでは、絶対的な根拠を求める。そしてそれに永遠に到達できないのでした。

何かを選ぶにあたり、アイロニカルな態度を突き詰めるならば、究極の、真にベストな選択をしたいということになる。絶対的に信頼できる人を選びたいということになる。

ですが、比較にベストな解はありません。絶対的に根拠づけられた選択はありえない。

そこに、ある転機が訪れる――。

絶対的な根拠を求め続けていて、到達できない……この無限に先延ばしされた状態を、一点に瞬間的に圧縮し、絶対的な無根拠への直面にしてしまう。

そして、「絶対的な無根拠こそが、むしろ、絶対的な根拠なのだ」という逆転が起こる。

絶対的な根拠はないのだ、だから無根拠が絶対なのだ。

だから――ここで起きる論理の飛躍に注意してください――、無根拠に決めることが最も根拠づけられたことなのである。次のイコールが成り立つ、絶対的な無根拠=絶対的な根拠。

実際的に言えば、これは要するに、「決めたんだから決めたんだ、決めたんだからそれに従うんだ」という形で、まあ「気合い」で、ただたんに決めるのだということです。聞いたことがあると思うんですが、自己啓発書などで、「明日からあなたが決めさえすれば、あなたはそういうあなたになる」といった形で言われることです。

それではマズいのだと僕は言いたいのです。

このやり方では、何に決めてもいいことになるというのがポイントです。
決断では、たんに偶然的なもの、たまたま出会ったもので何に決めてもいい。
比較検討を十分にやったかどうかは関係ありません。というか、決断する前の段階で比較して考えていたとしても、決断が起これば、考えていたことはすべてふいになります。

普通はあれこれ考えたあげく、決断に転じるものだと思いますが、原理的に言って決断はいついきなり起きてもおかしくない。突然、天啓に打たれたように。

何でもいいので、突然「エイヤッ」と決断する。ピュアに決断する。そうすれば、「決めたんだから決めたんだ」というわけで、たとえどんなにバカげたことでもそれがあなたにとって絶対的に「真理化」されるのです。そう、真理が生成するのです。**何かを無根拠で決断することは、逆説的に、それだけが絶対的に根拠づけられた決断なのであり、この決断によって何かが「真理化」される。**

絶対的な無根拠＝絶対的な根拠という等式による決断では、真理をつかんでしまっているのだから、他の可能性はもう目に入らない。排他的に、その真理を信じ込むことになる。

これを、「決断主義」と呼びましょう。

アイロニー的な有限化は、決断主義である。

ベストな選択をしようと無理をするからそうなるのです。

決断主義において、決断する自分はカラッポの存在です。

何かを選ぶ根拠＝無根拠は、決断だけにある。何かが「かくかくしかじかで望ましいと比較の結論を出したから」のように表面上見えていても、本質的にはそうではない。

私は決断の瞬間において、無です。中身がカラッポなのです。何の具体的なプロフィールもない。いかなる個性もない。匿名の存在です。

決断の前に自分が何者であるかは、決断には関係ない。

中身がカラッポの私が、何でもいい任意の他者と出会い、その他者を絶対化する。

（ここで、「他者」という言い方は、他人やモノ、さらに「考え方」も指しています。）

たまたま、ある人の考え方に出会って、それ＝他者に完全に乗っ取られる。**決断とは自分の決断の絶対化だが、それはつまり、他者への絶対服従である。**私はある他者に完全に乗っ取られ、ひとつの真なる世界観に入る。

ひとつのその世界観だけが、リアルなのです。それに異議を唱える、別の生き方をする複数の他者たちがまったく存在しなくなる。

こうして、アイロニーはそもそも批判的になることなのに、決断主義に転化すると無批判な生き方になってしまいます。狂信的になってしまう。他の考えを聞く耳をもたなくなる、というか、他の考えをもつ複数の他者がそもそも存在しなくなる。

だから、決断主義は避けなければならない。これが本書の立場なのです。

そうならずに、アイロニーの批判性を生かしておくには、絶対的なものを求めず、そして複数の他者の存在を認めなければならない。

アイロニカルな批判は、むしろハンパな状態に留めておく必要があるのです。

そこで、ユーモア的な有限化へと転回することになる。第二章の流れと同様に、アイロニーを徹底せずにハンパな状態で生かしておいて、ユーモアの方へ転回するのです。

ユーモア的な有限化、それは、複数の他者のあいだで旅しながら考えることです。

話が振り出しに戻りますが、つまりは、ちゃんと考えて比較をするということ。

正確には、比較に絶対的な結論を出そうとしない、比較を続けるということ。絶対的な結論を出したら（それを決断したら）、その瞬間に比較はふいになるからです。

比較の中断

考えるべきは、「比較を続けながら比較をストップする」ような事態です。

これを、決断ではなく、比較を「**中断**」する、と言うことにします。

比較を続けるなかで仮にベターな結論を出す。

比較がちゃんと比較であるならば、その結論は「仮固定」でなければならない。比較は、ある結論が仮固定されても水面下で続く。私たちは、ある仮固定の結論を比較の継続のなかで徐々に放棄し、また異なる仮固定の結論へと移っていくのです。

ある結論を仮固定しても、比較を続けよ。つまり具体的には、日々、調べ物を続けなければならない。別の可能性につながる多くの情報を検討し、蓄積し続ける。

すなわちこれは、「**勉強を継続すること**」です。

これはエネルギーが要ることで、大変だから、環境のノリに保守的に流されたり、「エイヤッ」で決断してしまったりするのです。そうならないようにするために、そうならないというのは「比較を中断しながら続けること」であると明確化し、原理を説明しているのです。その上で、第四章では、勉強を継続する方法を具体的に提案したいと思います。

アイロニー＝深追い方向で比較を絶対的にストップさせようとすると、決断主義になってしまう。そうしないなら、ユーモア＝目移り方向で、複数の他者のあいだをいつまでもさまようことになってしまうのではないか――しかし現実にはそうはならない、なぜなら、享楽的こだわりによる重みづけがなされ、どこかに足場が仮固定されるからです。これは第二章におけるユーモアの切断と同じ話です。

そして、ここまで来て、誰のどういう情報ならば信頼できるかという、ある程度の客観的基準の問題に答えを与えることができます。

ここまでの議論で、惰性的に環境のノリに従うこと、また、無になって決断してしまうことはあるべきでない態度として排除されたのでした。結果、私たちは、比較し続ける人になろうとしている。だから私たちにとって、

信頼に値する他者は、粘り強く比較を続けている人である。

すると問題は、ある人が比較を続けている人であることの根拠はあるのかということになる。それは、当然、絶対的には得られません（そうなったら決断主義です）。この人は「比較者」であるというのは、ある程度で「相対的」に判断するしかない。

さらに言えば、比較し続けている人は、やはり比較し続けている人を信頼し、そうい

う人たちを比較し続けているはずです。このように、信頼性の絶対的な支えはどこにもなく、いつ崩れるかわからない不安定な「相互信頼」の状況があることがわかります。そのなかで、最終的に足場となるのは、私の享楽です。信頼性の、ある程度の根拠を実際どう調べるかについては第四章で説明します。それは具体的には、どの本を、どの資料を読むべきかという問題です。信頼性の話は本章ではここまでとして、続いては、享楽の考察をさらに行いたい。

決断主義の場合と違って、比較を行う私は個性的な中身をもっている。何かにこだわる私がいる。享楽的な私が。他方で、決断する私は、決断するだけのカラッポの私だった。比較の中断は、最終的に、享楽的こだわりがあるからこそ起こる。

ここから次の問題に進みましょう。

こだわりというのは、要は「昔から自分はこうだった」ということです。ならば、自分の「頑固な」部分でものごとを決めるしかない、ということなのか。その部分は、いかんともしがたい部分なのでしょうか。

そこで、第二章で予告したように、本章では、享楽的こだわりは絶対的に固定されたものではなく、変化可能であるという考え方を示したい。

ラディカル・ラーニングでは、自分の根っこにある頑固さに勉強を通して介入する可能性を考える。自分の根っこに触れるのは難しく、その変化には限度があるにしても、可能性としては変えられる部分があることをこれから説明します。

享楽的こだわりが、比較のプロセスを途中で切断する刃である。
その刃自体が変化するという可能性を考える。

こだわりの変化

以前、ある人が調べ物をしていたので、参考になりそうな論文をいくつか勧めたことがありました。それで、後に話したら、読んだものもあるけれど、「内容以前に言葉の選び方が気に入らなくて」読めないものがあった、と言っていました。難しい言葉があるから読めないというわけでもなく、何か気に入らないというのです。こういう反応は興味深いものです。ここには、何か「形態」に対するプライベートな反応がある。享楽的こだわりの問題です。

こういう場合、じゃあどういう言葉の選び方を気にしているのかと、立ち止まって考えてみる人は少ないでしょう。それは妙な作業をすることになります。自分の「無意味

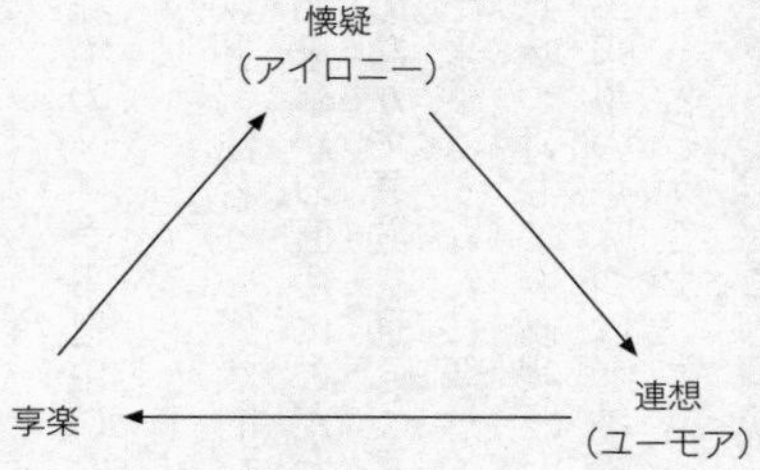

図３　勉強の三角形

な」こだわりを見つめることだからです。どういうことに無意味にこだわっているのか、いわば「自分にとって重要な無意味」を探すという作業になるからです。

なぜ自分はこういうこだわりをもつのかとその根拠を考えるのは、アイロニーです。

勉強はアイロニーが基本である。しかしアイロニーをやりすぎず、つまり、懐疑（疑い）を深めすぎず、ユーモア的に多数の可能性を連想する。しかし、そうした可能性の増殖はきりがないので、切断して足場を仮固定するために、享楽的こだわりを刃にする。その刃に、また、やりすぎないアイロニーをかける。このようにプロセスが進むのです。これを「勉強の三角形」という図にしてみましょう。

享楽的こだわりは、他者との偶然的で強い出会いによって生じる。第二章ではそう説明しました。自分の好き嫌いとか、向き不向きには、出会いの偶然性が刻み込まれています。偶然的な出会いの痕跡を引きずって生きているのです。このように確認した上で、本章では、こだわりの構造にさらに踏み込みます。

環境のノリから自由になるという課題を、こだわりに関しても考える必要がある。

以下、他者との偶然的な出会いを、ひとことで「出来事」と呼ばせてください。

出来事から直接にこだわりが結実したのではない。こだわりとは、出来事が、ある環境のなかで言語を通して意味づけされ、機能をもつようになった結果である。

出来事は、たんに偶然的、無意味で、強烈なものなので、自分はそれを言葉でなんとか意味づけして「納得」しようとした。

出来事の意味づけ＝納得は、生まれ育つ過程の、何らかの環境のなかで行われた（これは当然そうです、言語的な意味は環境のなかにしかないのだから）。

ところで、どこの環境においても言語には、何か偏った価値観が染みついている。ゆえに、環境の価値観が染みついた言葉で、出来事をなんとか納得してしまっているわけです。しかもトラウマ的に強い出来事ですから、それをなんとか納得するために動員される言葉＝価値観は、強く自分に結びついてしまうでしょう。

これがこだわりの環境依存的な面です。

たとえば、自分にこだわり的に嫌いな対象があるとして、それは、出会ったときすぐに嫌いになったのではなく、まずは、わけがわからないという無意味の体験があり、その後、環境から価値観の染みついた言葉を借りてきて、他の多くのこととの関係において良くない＝嫌いなものとして意味づけし、納得した——そのように考えられる。

経験的に言って、好き嫌いの一部は人生のなかで変わるものです。「あの当時はあれはダメだったが、いまではもう平気だ」といった形で何かを肯定できるようになることは、しばしばあります。

こういう変化を、促成的に引き起こすことはできないものでしょうか。

これは難しいことです。だが、方法は考えられる。次のようにです。

こだわりの環境依存的な面——こだわりの「殻」——を分析してバラし、発端にある無意味な出来事——こだわりの「核」——の方へと戻ろうとする、出来事と出会い直そうとする。

出来事の納得のしかたを振り返って少しでも変えようとすること、それが、こだわりのあり方を少しでも変えようとすることなのです。

浅いレベルでは、環境は、「これを選んでおけばいいですよ、みんなもそうしてますよ」という指示を出している。それに対し、何かにこだわっている自分が反発するわけですが、実は自分なりのこだわりは、深いレベルにおいて環境依存的に意味づけられているのです。

環境のノリから自由になるという本書の課題は、浅いレベルだけでなく、深いレベルにまでおよび、何かを決めるときの「自分なりに」の根源にある「自分に固有の無意味」へと向かっていく、という課題になる。

何かに「無意味にこだわる」とか「意味なくこだわる」という言い方がされますが、あれこれ思い出してみれば、そこには実は（環境的な）意味があることがわかる。その意味を「はがして」いくと、たんにある言葉のかけらが好きだとか、何かイメージが気になるとか、まさしく意味なくこだわっているもの、すなわち「非意味的形態」が見えてくるかもしれません。

種明かしをすると、以上のような自己探求は、本格的には、精神分析という実践において行うことで、自分一人で深くできることではない（と、精神分析家は言うでしょう）。

とはいえ、勉強が自分のどこまで深くに届くかは、やってみなければわからないと思うのです。経験上、自分のこだわりは、勉強を通してある程度は変わります。僕の経験からしてそう思います。しかし、どこまでコアな変化が起きうるのかはわかりません。

欲望年表を作る

自分の現状のメタな分析によって、勉強の可能性はきりがなく広がります。最終的に、勉強を有限化するためには、信頼できる情報を比較するなかで、自分の享楽的こだわりによって足場を定めることが必要であり、しかもそれを絶対化しないことが必要です。

自分に特異的な勉強のやり方を見つける。そのためには、本章で最初に行った、生活実感からアイデアを広げるというワークに加えて、一種の自己分析をするのが効果的でしょう。

ここではその方法を、一案ですが、提案したいと思います。

僕が実際にやってきた方法で、「自分が何を欲望してきたか」の年表を作るという方法です。これを「欲望年表」とでも名づけましょう――正確には「享楽年表」ですが、それではなんだか遊びまくってきた武勇伝の年表みたいですから。

自分にどんな享楽的こだわりがあるのか、その成立史を年表にしてみる。

手書きでもできますが、書き込みが増えるとごちゃごちゃするので、パソコンやスマホでテキストを編集するアプリを使うといいでしょう。

とりあえず生まれた年から始めて、途中で学校の入学卒業や、就職の年を、大きな区切りとして入れる。その上で、(1)自分のいまの仕事や主な興味につながる重要なポイントを思いつくままに書き込んでいく。時期はだいたいでいい。そして、(2)その背景になっていると自分で思う出来事、商品、作品、人物などの名前とその年を書き込んでいきます。

さらに、(3)関連することを歴史的にさかのぼって、二〇世紀からさらに前にまで広げ、自分の位置を大きな歴史の流れに接続してください。

こうして、いまの自分がどういう他者に刺激され、どういう大きな時代状況のなかでこのように構築されたのかを客観視するのです。これは「メインの欲望年表」です。

そして、次のワークがより重要で、こんどは「サブの欲望年表」を作ります。新たに作ってもいいし、メインの欲望年表に別の色で書き込むのでもいい。

これは、自分の現状につながっているのかどうかよくわからないが、振り返って思い出される、妙にこだわっていたことや、何か印象深いことを書き込む年表です。

そして、最終的には、次のワークに取り組みます。

メインの欲望年表に出てきたことと、サブの欲望年表に出てきたことを接続するような抽象的なキーワードを、無理にでもわざわざ考え出す。

その抽象的なキーワードは、自分を無意識的なレベルで衝き動かしてきた、何か大きな「人生のコンセプト」に相当する。それを言葉にしようとする。仮にです。本当のそれが見つかるとは言えません。これまでどういうふうに他者に影響されてきたのかを振り返ることで、無意識と意識をつなぐ言葉を仮に想定するのです。そして人生のコンセプトは、変更可能なのです。他者との強い出会い、無意味な出来事の引き受け方を変えることによって。

具体的には、僕のケースで説明するのがやりやすいので、そうさせてください。

あまり長話にならないよう略してやってみます。

メインの欲望年表──千葉雅也の場合

僕は一九七八年に栃木県の宇都宮市に生まれました。高校までは地元にいて、大学から上京しました。いまは、京都の立命館大学の准教授として、哲学や文化論を教えています。

1978　栃木県宇都宮市生まれ
1991　中学入学
1994　中学卒業、宇都宮高校入学
1997　宇都宮高校卒業、東京大学入学
2012　博士論文を提出し、東京大学大学院博士課程を修了
2012　立命館大学に就職

これが基本的なプロフィールですね。

僕は哲学が専門です。とくに、フランスのジル・ドゥルーズが書いたもの、またドゥルーズとフェリックス・ガタリの二人で書いたもの（ドゥルーズ&ガタリ）が、メイン

の研究対象です。その関心につながること、そして、大きな時代状況を書き込んでいく。

1945　第二次世界大戦終了

1968　ドゥルーズの主著『差異と反復』出版

1978　栃木県宇都宮市生まれ

小学校時代は、バブル経済の80年代だった。

日比野克彦のデザインに影響を受ける。

1984　初代 Macintosh 発売

1991　中学入学

Macintosh を買ってもらう。

美術に興味をもっていた。

1994　中学卒業、宇都宮高校入学

美術の課題で、地元の美術館の展覧会についてレポートを書く。

高校一年か二年で、ドゥルーズとガタリのことを知る。『コンサイス20世紀思想事典』を読んだ。

1995　阪神・淡路大震災、地下鉄サリン事件、『新世紀エヴァンゲリオン』

高校二年のときに自宅にインターネットが入り、深夜の匿名チャットにハマる。

１９９７　宇都宮高校卒業、東京大学入学
１９９８　東浩紀『存在論的、郵便的』
東浩紀の多大なインパクトもあって、興味が美術から哲学・思想に移る。
２０１２　ドゥルーズに関する博士論文を提出し、東京大学大学院博士課程を修了
２０１２　立命館大学に就職

これが、メイン年表のだいたいの形です。これだけだと、あまりおもしろくない。自分がいまどうしてこうなったのかの、意識レベルの理由だけだからです。享楽が見えてこない。

ざっと説明すると、こういう感じです。
僕は、両親が共に美術の学校出身で、小さい頃は一緒によくお絵かきをしました。しかしスポーツが苦手な子供でした。美術をとにかくやりたかった。中学まではそうです。ところが、読書感想文の課題や高校の美術のレポートを通して、文章を書くことがおもしろくなっていった。高校時代には、美術作品を作りながら、美術を「どう語るか」に興味が出てきて、哲学や思想の本を、ちゃんとは読めないながら買って、部屋に飾るようになった。その時期にドゥルーズのことを知った。三省堂の『コンサイス20世紀思

想事典』にドゥルーズの簡単な解説が書いてあったのを覚えています。

その後、高校二年のときに自宅にインターネットが入ったのですが、これは栃木県では早い方だったと思います。そこで、深夜のチャットにハマって、地元の生活から離れ、見知らぬ人に「ヴァーチャルな関係が広がる」ことに興奮した。そしてそれが、ドゥルーズの哲学に関係することを知った。「ヴァーチャル」はドゥルーズも使っているキーワードです。そしてドゥルーズ&ガタリは、従来のしがらみから自由な、「雑草のように広がる関係」について「リゾーム」というキーワードで大胆に論じていました。

このように、ネットの衝撃によって美術からドゥルーズの方へ引っぱられた。

その後、大学に入ってからは、東浩紀の『存在論的、郵便的』に衝撃を受けて、僕も本気でフランス現代思想を学ぼうと思った。その頃には美術作品を作ることはやめていました。読んで書くことに本格的にシフトした。

先の年表には、少しだけ歴史的な背景も書き込んであります。

大きく見て、僕は戦後の人間であり、バブル期に物心がついて、高校時代に日本での最初期のネット文化に触れた。ドゥルーズの主著『差異と反復』は一九六八年の出版で、これは学生運動の時期です。僕は学生運動を知らない。八〇年代のにぎやかな渋谷と原宿には、ときどき連れて行ってもらった。こうした歴史の掘り返しは、自分が成長する過程で、どういう大きな環境（とくに八〇年代日本）のなかで言葉を覚え、価値観を得たのかを分析することです。

そのためには、文化史や経済史、社会学での戦後研究などに手を伸ばす必要がある。と言うと大変そうですが、たとえば僕の場合、戦後から九〇年代までの日本社会がどう変わっていったのかを教えてくれる新書一冊でもまず読めば、自分のこだわりの背景について理解が少しは深まるでしょう。まずはそのくらいから始めればいいのです。

サブの欲望年表

サブの欲望年表を作ってみましょう。まずは、リラックスして頭に浮かんでくる昔のイメージをバラバラにメモします。そうして出てきた素材を並べて年表にする。思いつくままに浮かんでくることをたどり、欲望のあり方を考えようとする。こういう方法は、フロイトから始まった精神分析の昔ながらの方法であり、「自由連想」と言います。

１９７８　栃木県宇都宮市生まれ

幼少期は、サインペンやパステルのセットが大好きだった。
深海魚の種類をたくさん覚えていた。
外科医になりたいと言っていた。内臓の絵を描いていた。
1983　任天堂ファミリーコンピュータ発売
小学校低学年、友人の家でファミコンをやる。家では買ってもらえなかった。
後に、ゲーム機はPCエンジンを買ってもらうことになる。
『ドラゴンクエストⅢ』に夢中。モンスターの絵を描く。
1991　中学入学
この頃、熱帯魚の水槽に夢中になっていた。
熱帯魚から水草に興味が移る。
1994　中学卒業、宇都宮高校入学

このくらいにしましょう。

自分が好きだったものとしては、画材、深海魚、熱帯魚や水草、鳥山明がデザインしたドラクエのモンスターなどが思い出される。色とりどりのキラキラしたいろいろなもの。ここで少し抽象化を始めてみます。思い出されるのは、「いろいろなもの」です。しかも「セット」になっているようです。何か「パッケージ」に入っているものにこだわっている。

それから、「マイナーなもの」を好んでいる。深海魚がそうですね。幼稚園のとき僕は哺乳類にはあまり興味がありませんでした。食虫植物も気になって、ハエトリグサとウツボカズラを買ってもらった……。

しかし、「メジャーなもの」に対しては複雑な心境がありました。メジャーなファミコンは買ってもらえず、ＰＣエンジンで妥協した。男の子にとってメジャーであるスポーツは嫌いだった。中学の体育教育が暴力的だったのも、それに拍車をかけた。その後、大学に入って、筋トレの親切な授業を受けたのがきっかけとなり、スポーツ嫌いが解消されてくる。スポーツへのあの嫌悪感は、おそらく強い憧れの裏返しだったのだ、といまでは思っています。

抽象化を進め、キーワードを考えます——僕にとって魅力的だったのは、どうやら「種類」がたくさんあるものではないだろうか。いや、僕のこだわりは、種類がたくさんあるということ、ではないか。概念化すれば、「多様性」、「複数性」、そして「マイナー性」です。それとぶつかる裏テーマとして、「メジャー性」もある……。

そういえば、幼稚園のときには外科医に憧れましたが、結局興味があったのは、「内臓の種類がたくさんあること」だったのかもしれない。人を救いたいという熱意があったわけでもない。いろんな内臓が人体という容れ物にパッケージされている、そのことがおもしろかった——三六色のサインペンがずらっと箱に入っているように。

これは多種類の熱帯魚を水槽で飼っていたことにも似ている。

水槽＝箱＝人体、それはさらに、ファミコンのカートリッジにつながる。

熱帯魚＝臓器＝サインペン＝ドラクエのモンスター。

多種類のもののイメージと、容れ物＝箱のイメージが絡み合っている。

メインの年表とサブの年表をつなげる

ここで、第三のワーク、メインの年表とサブの年表の接続をやってみます。

多様性・複数性、これはドゥルーズ（＆ガタリ）において中心的なテーマです。

先ほど「リゾーム」というキーワードを挙げましたが、これがまさしく多様性・複数性を肯定するためのキーワードなのです。僕は、何かひとつを追究するより目移りが楽しいらしく、ドゥルーズ（＆ガタリ）をその享楽を正当化してくれる哲学者として利用しているのではないか。多様性・複数性は、僕の人生の大きなコンセプトなのでしょう。

そしてそれは、八〇年代の消費社会という環境とおそらく関係している……。

加えて、容れ物という問題もある。これはいまの仕事のどこに位置づけられるのか？

僕は、何かを枠にはめることにこだわるところがある。枠があると安心する。たとえば、ツイッターで一四〇字の制限があるなかで書くというのが、僕はとても好きなのです。一四〇字というのは、英語の携帯電話のショートメッセージの上限字数に収まるように決められているのですが、日本語文を書くにあたっては無意味で強制的な枠です。無意味な何かが、範囲を有限化する……というのはまさに、本書で考察していることです。おそらく本書のその部分は、ずっと昔の、幅六〇センチの熱帯魚の水槽を眺めていた自分につながっている。

もっと細かいことも言える。色のなかでもエメラルド・グリーンに妙なこだわりがある。海の色でしょう。典型的なリゾートを感じさせる色。これは「メジャー性」に関わる？

初めて海に行った日。思い出せません。しかし、いつだったか小さい僕は、不用意に波打ち際に近づいて、急に盛り上がった波をかぶってしまった——という出来事。

それは、押し寄せてくる無限に対し、有限性のバリアを張るという課題につながる。

来たるべきバカへ

本章では、「実践編」に踏み込んで、勉強のテーマをいかに見つけ、有限化するかを説明するなかで、アイロニーからユーモアへ、そして享楽の問題へと至る「原理編」の議論を完結させせました。

複雑な部分もあったと思いますが、大きな構図はご理解いただけたでしょうか。

この勉強論では、可能性をたくさん、無数に考えられるようにするというのが、まず課題なのでした。環境に制約されて、可能性を狭くしか考えられない状態から抜け出すために、言語をもっと自由に使う＝言語偏重になる。環境のノリによって即断せず、立ち止まって環境をメタに眺め、言語をアイロニー的・ユーモア的に使って、別の可能性をたくさん考える。

これは、「賢く」なるということです。

逆に言えば、周りに流されているばかりなのは、「バカ」である。しかしバカであることには強みがあります。可能性の増殖のなかで迷うことがないのです。

ここでの意味で、賢くなるというのは、場にコミットしないで行為をせずに考えているだけだということ。それは、ネガティブに言えば「小賢しく口ばっかり」なのです。とはいえ、勉強とはまず、小賢しく口ばっかりになることです。

僕は確信をもってそう言いたい。

勉強によってノリが悪くなる、キモくなる、小賢しくなる。勉強する以上、それは避けられない。それが嫌であれば、勉強を深めることはできない。

筋トレで筋肉量を増やすときには、同時に脂肪もつくのと同じです。

適当に流しておけばよい状況で、勉強成果のアウトプットをうまくコントロールできず、アイロニカルな、また変にユーモラスな発言を「やらかして」しまう。それは避けがたい。

そんなふうにはなりたくないと思うならば、それは勉強への大きな抵抗です。その抵抗を突破するために、少なくともある時期は、アイロニカルな、ユーモラスな発言のやらかしを積極的にやろうとするくらいでいい、とすら言いたいのです。それが勉強をドライブする。

しかし、その先の段階がある。

本書は、言語論から始めて、最終的に享楽論へとたどりついた。

小賢しく可能性を比較し続けるだけの状態から、行為へと私たちをプッシュするのは、私たちひとりひとりのこだわりなのです。それは、ずっと昔の自分が、何かとのトラウマ的な出会いの後、環境のなかで形成したバカな部分である。

享楽的こだわりとは、自分のバカな部分である。

バカだというのは、英語では「idiot」です。これは、古代ギリシア語の「idios」から来ている。それは、「個人の」、「特異な」という意味をもっています。

享楽的こだわり＝バカな部分は、おそらく変化可能である。

勉強の視野を広げ、自分の享楽を分析しつつ勉強を続けることで、あるバカさが、別のバカさへと変化する。ラディカル・ラーニングは、自分の根っこにあるバカさを変化させる。バカでなくなるのではない。別のしかたでバカになり直すのです。

これが、本書のサブタイトルで言う「来たるべきバカ」ということです。

そして、また環境のなかで、行為する。

浮いた立場から、「一周回って」環境に戻る。

ただ場から浮いているわけにはいかない。自分の享楽的なバカさによって可能性の比較が中断され、何か行為が起こってしまう。あなたに特異なダンスとして。

たんに場から浮いているだけではなく、「変化しつつあるバカさ」で行為する。

それなりに周りに合わせもしながら。多少はノリがぎくしゃくするときがあるとしても。

ふたたび環境のなかへ、行為の方へ向かう――それが、筋トレの比喩で言えば、勉強におけるキモさの「減量期」なのです。

そのときに、来たるべきバカと、たんに周りのノリに合わせているバカを見分けられるでしょうか? その背後に小賢しさを畳み込んでいるバカと、ただのバカを。

おそらく識別不可能になる。

こうしてゴールは振り出しにつながる。

ただのバカに見える人が、来たるべきバカでないとどうして言えるでしょう?

だから僕は本書を、勉強せよと強制するために書いているのではないのです。

第四章　勉強を有限化する技術

最後に、勉強を有限化しつつ継続するためのテクニックを具体的に説明しましょう。言語偏重になり、自分の享楽を活用し、有限性を意識する勉強。生活の分析や、自己分析によって何かキーワード・問題を見つけた後で、勉強の実作業をどう進めるか。

できるだけ、「原理編」にシステマティックにつなげて説明するよう努めますが、僕の勉強・教育経験からのざっくばらんな提案も入れていきたいと思います。

第三章で説明しましたが、勉強とは、何かの専門分野のノリに入るということ。専門的な言葉づかいによって「それ風に」、たとえば「社会学風」とか「工学風」とかにものごとを説明できるようになる、ということです。そうすれば、語りに別の次元をひとつ加えることが可能になる。では、専門分野にどのように入門したらいいのか。

専門分野に入門する

最初に、情報の信頼性について簡単に述べておきます。信頼できる著者による紙の書物は、検索して上位にすぐ見つかるようなネットの情報よりも信頼できる。この態度を勉強を始めるにあたって基本とすべきです。

「まとも」な本を読むことが勉強の基本である。

ネットより紙という基準がまずある。一度印刷されると修正できないので、本は基本的に慎重に作られるものだからです。ネットに不確実な情報や、それどころかデマが溢れているのはご存知のことと思います。しかし紙の本にもひどいものはたくさんあります。

では、何が「まとも」と言えるのかという信頼性の問題は、後で説明します。ネットでも本でもアイロニカルに信頼性を疑うべし、ということだけをまずは言っておきましょう。

専門分野に効率的に入門するには、入門書を読むべきです。

古いタイプの教師は、新入生にいきなり本格的で手ごわい本に挑戦するよう勧めたりします。が、予備知識が何もない状態では間違いなく読めないし、すぐに挫折してコンプレックスを抱いたりするとよくない。

本格的な本は、勉強し始めて数年経たないと読めないものです、それで普通であるとはっきり言っておきたい。最初に読むべきは入門書です。

僕の専門、哲学で言えば、ハイデガーという大哲学者の代表作『存在と時間』をいきなり一人で読もうとしても不可能でしょう。ひじょうに高密度な、哲学に独特の文体で書かれている。それから、ハードカバーで出ているような、『ハイデガー哲学の何々』のようなもの、研究書ですね、そういうものも初心者には無理です。

最初に読めるのは、仲正昌樹『ハイデガー哲学入門――『存在と時間』を読む』（講談社現代新書、二〇一五年）などでしょう。これでも、哲学用語をまったく知らなければ難しい。ならば、哲学という分野の「挨拶程度の会話」を知るために、貫成人『哲学マップ』（ちくま新書、二〇〇四年）あたりから手をつけるのがいいかもしれません。

入門書によって、勉強の範囲を「仮に有限化する」のです。

専門分野に入る前提として、どのくらいのことを知っておけば「ざっと知っている」ことになるのか、という範囲を把握する。必要なのは、最初の足場の仮固定です。そして、

入門書は、複数、比較するべきである。

一冊だけで信じ込まないようにしてください。入門書を一冊読んだくらいでわかったと思われては困ります。いろんな角度から分野の輪郭を眺める必要があるのです。同じ分野の研究者でも、解釈の展開や力点の置き方などは人によって異なります。また、入門書一冊を読んだ直後にすぐに専門的な本に行くのも無理です。最初の半年から一年く

らいの読解力では、入門書を読み比べるのでおそらく精一杯だと思います。

と言っても、専門分野に取り組むにあたっては、入門書に加えてその分野の教科書、あるいは「基本書」と言えるものを買っておくことをお勧めします。最初の段階では、これらは読み通すのではなく、あくまで入門書の理解を深めるための「事典」として使います。

教科書は、「専門分野の名前　教科書」で検索すれば、紹介している記事が見つかるでしょう。たとえば、社会学ならば、有斐閣という出版社から出ている『社会学』がそうですが、シンプルに専門分野の名前をタイトルにしているものが多いですね。

基本書というのは、教科書のように教育目的で書かれたものではないが、その分野の中心的なテーマについて詳しく書かれた重要文献です。各分野において優先的に読むべきなのは基本書である、と知っておいてください。

基本書は、教科書よりも上級のレベルです。

ですから、勉強の順序としては、複数の入門書→教科書→基本書、となります。

基本書とは、まずは、入門書や教科書に重要なものとして繰り返し出てくる文献がそれだと思ってください。また、基本書のブックガイドが専門家のウェブサイトで公開されていることがよくあります。

有斐閣の『社会学』には、各章の終わりにブックガイドがついています。そこにあるものはおよそ基本書と言えますね。たとえば、現代社会の徹底的な合理化について論じたジョージ・リッツア『マクドナルド化する社会』であるとか、人間にとっての時間の意味を根本的に考えた真木悠介『時間の比較社会学』などが挙げられています。

教科書は、基礎から発展的な内容まで網羅的に書かれています。たいてい分厚くて、内容がひじょうに多いので、最初から最後まで読み通すのは困難と思ってください。まずは教科書は、読み通すものではなく、事典のように「引く」ものと捉える。最初は目次を眺めるだけでもいい。その分野のテーマや概念がざっとわかります。

何種類もあるときは、原則として出版年がより新しいものを選ぶのがいいでしょう。

入門書で知ったことについて、教科書で該当するところを「引いて」いるうちに、教科書はあちこちから「モザイク状」に読んだ状態になります。入門書をもとに、徐々に地図を塗りつぶしていくイメージです。そうなってから、あらためて最初から通して読んでいき、全体の流れを確認する。しかしそのときに、漏らさずにすべてを読もうとしなくてもかまいません。なぜなら、「完璧な」読書など結局は不可能だからです。

読書は完璧にはできない

読書の完璧主義を治療するにあたって、フランスの高名な文学研究者であるピエール・バイヤールの『読んでいない本について堂々と語る方法』は、ひじょうに役に立つ本です。この本でバイヤールは、多様な読書を肯定しています。

読書と言えば、最初の一文字から最後のマルまで「通読」するものだ、というイメージがあるでしょう。けれども、ちょっと真剣に考えればわかることですが、完璧に一字一字すべて読んでいるかなど確かではないし、通読したにしても覚えていることは部分的です。

通読しても「完璧に」など読んでいないのです。

ならば、ここからだんだん極論へ行けば、拾い読みは十分に読書だし、目次だけ把握するのでも読書、さらには、タイトルを見ただけだって何かしらのことは「語る」ことができる。

そもそも人から「本当にちゃんと読んだのですか」と聞かれることはまずありません。というのはなぜか。誰もが、自分の読書が不完全であることが不安であり、そこにツッコミを入れられたくないと思っているからです。

バイヤールによれば、読書において本質的なのは、本の位置づけを把握することです。たとえば、ハイデガーの『存在と時間』は、二〇世紀の哲学において決定的に巨大な業績である。『存在と時間』は、フッサールの現象学を背景に、ハイデガーが独自の方向を提示したものである。いまの説明では、大まかに哲学史における重要性を言い、そして、他の哲学者との関係でどういう位置にあるかを言ったわけです。

勉強を深めるには、多読というか、通読はしなくてもたくさんの書物を「知る」必要があります。頭のなかにブックマップを作る——この書物Aは、Bの影響を受けている、Bの結論はCと対立している、というような位置関係を説明できるようにする。そうすることで、ある分野の森を見渡すことができるようになる。

入門書を読む

次に、入門書への取り組み方について説明しましょう。

まず、言葉づかいに慣れる。難しげな言い方が出てきても、「そういう言い方をするもんなんだ」と冷静に読んでいくこと。第一章で述べたように、新しい言葉づかいへの違和感を大事にします。その分野＝環境における言い方＝考え方のコードを、メタに観察するのです。

そのために重要なのは、自分の実感に引きつけて理解しようとしないこと。「実感に合わないからわからない」では、勉強を進めようがありません。

そもそも、これまでの自分にとって異質な世界観を得ようとしているのだから、実感に合わないことが書いてあって当然なのです。むしろ、「なんでそんなふうに考えるの?!」と気味悪く、ときには不快に思うこともあるような考え方を学んでこそ勉強なのです。

新しい言い方＝考え方にノることで、自分の「感覚を拡張する」のです。

これが、まさしく自己破壊。これまでの自分に知識やスキルを足すのではなく、感じ方、考え方を、根本的に揺さぶる。慣れるとそれは、マッサージのように気持ちよくなってくる。

教師は有限化の装置である

本書では、生活のなかで「独学」することを勉強の基本姿勢として想定しています。社会人や退職した方の場合は、生活のなかで独学の時間を作ることになる。あるいは、学校に通っていたり、個人的に教師についていても、一人で勉強する方法を知らなければ勉強は深まりません。授業では学ぶべきことをすべて教えてくれるわけではありません。勉強というのは、自分で文献を読んで考察するのが本体であり、教師の話は補助的なものです。

授業を聞くときのポイントは、多くを吸収しようとすることよりも、教師が「いかに工夫して少なく教えているか」に敏感になることです。情報の有限化がポイントなのです。

教師は、まずは「このくらいでいい」という勉強の有限化をしてくれる存在である。その有限化された情報を軸として、自分でさらに本を読み、調べながら勉強を深めていく。

教師とは、有限化、あるいは切断の装置です。

独学するときには、入門書がこうした教師の役割を果たすことになる。

分厚い教科書を見ると、あらゆる項目がまるでどれも大事であるかのように書かれていて、どこまでを身につけたらいいかわかりません。というか、このことも明確にしておくべきですが、どんな分野のプロでも、教科書に書かれているすべてをマスターしている人はいません。そう思ってもらってかまわない。つまり、何かを省略するものなのです。

勉強をイヤにならずに続けるには、「完璧主義」を避ける必要がある。

いつでも不完全な学びから、別様に不完全な学びへと移っていく。仮固定から仮固定へ。

では、教師や入門書は、どういう基準で勉強すべきことを有限化しているのでしょう。

たいていは、その分野においてオーソドックスに重要な点を強調するように有限化しているわけですが、必ず独特の偏りが生じる。その教師や著者ならではのフレーミングがある。

第二章で説明しましたが、ものの見方が多様化してきりがないというのは、ユーモアの過剰です。しかし通常は、何らかの見方が個人の享楽的なこだわりによって仮固定される。

教師や著者は、何らかの享楽的こだわりを背景として「ある教え方」になっている。享楽のレベルで、教育に対する自分の合う合わないがある。

あなたに合う教師や著者は、あなた自身の享楽的こだわりに何か共鳴するところがあるのでしょう。そしてそれは、「労働問題にこだわる」教師や著者に、やはり「労働問題にこだわる」あなたが共鳴するというような、テーマの共有ということよりもっと深いレベルで、何か「こだわりの無意味さ」において共鳴がある、ということなのです。

それが、言い換えるなら、教育の内容というより「スタイル」に共鳴することである。抽象的に言いますが、教育のスタイルとは、何を言うか＝意味の問題以前の、どう言うか、どう有限的に言うかのカタチの問題、何らかの享楽に関わる「非意味的形態」の問題なのです。

あなたに合う教師は、享楽のコアにおいて「非意味的にウマが合う」のです。

専門書と一般書

では、どの入門書を選ぶべきかなのですが、これは結局、情報の信頼性をどう判断するかという一般的な問題になります。原則としては、同語反復ですが、信頼できる人物や機関の情報を信頼する。しかし、その判断はなかなか難しいでしょう。

信頼性の条件とは、第三章で述べたように、多くの情報を十分に集めて比較するなかで仮固定の結論を出し、さらに比較を継続していること、です。これは、言い換えれば、「たえず勉強を続けている」ということにほかなりません。

勉強するにあたって信頼すべき他者は、勉強を続けている他者である。

多くの他者の意見（つまり、他者の勉強の成果）をふまえずに、何か環境のコードを押しつけていたり――「三〇代のビジネスパーソンはこうあるべき」といった押しつけは、日本のどこかの会社＝環境のコードを不当に一般化している――、あるいは、自分勝手な決めつけをしている――つまり決断主義的に決断している――ような語りは、どんなに有名でカリスマ的に人気がある人のものでも勉強の足場にすべきではありません。

勉強の足場とすべきは、「専門書」です。もっと限定すれば、学問的な「研究書」です。

「書物には、専門書とそれ以外がある」、または「研究書とそれ以外がある」という二分法で考えてください。「それ以外」は、「一般書」と呼ばれます。

実は、アートでも金融でもスポーツ科学でも、プロと言われる人たちは、そういう目で本屋さんの棚を見ています。

学問的な研究書は「厳密」なものです。

慎重な観察や実験、資料の読解にもとづいている。学問の歴史をふまえ、さまざまな見解を比較している。そして、僕はとくにこの点を強調したいのですが、一字一句が吟味されたものであり、書いてあるとおり、「文字通り」に読むことが期待されている。

多くの研究書には、注があり、巻末に参考文献のリストがあります（哲学書などでその形式でない場合もあります）。

研究書に加え、もっと広い意味での専門書には、技術のマニュアルや、専門業界の情報をまとめたものなどを含めることにします。専門書は、直接・間接に学問につながっています。

細かく分けるならば、専門的な知識をわかりやすく紹介する入門書や、専門家の対談本などは「準専門書」と言えるでしょう。

一般書は、それ以外です。定義するのは難しいですが、大きく言えば、学問的な厳密さから離れているもの。ほとんどの本は一般書です。注意してほしいのですが、専門書は大きな書店でなければ置いていないこともしばしばです。ほとんどの本は一般書なので、本格的に勉強を始めるとなったら、意識的に専門書を探しに行くことが必要なのです。

いまの国際政治はこうなっているという解説とか、ビジネスのノウハウのような本は一般書であり、その妥当性は、より専門的な知識によって吟味される必要があります。エコノミストが書いた経済予測の本も一般書で、慎重に疑う必要がある。何か事件を取材したジャーナリズムの本も、歴史学・社会学の厳密さで書かれているわけではないと想定すべきで、一般書に区分されるでしょう。以上のような本は、おおよその情報源にはなるものの、その内容に決して「飛びついて」はいけないのです。

また、一般書には、厳密であるどころか独断的な価値観を示しているものも多い。特殊な成功談を一般化しているもの、「〜だけすればよい」といった極端なアドバイス……そういうものは読み物としておもしろかったりしますが、勉強を進めるための文献ではありません（むしろ、学問にとって興味深い「分析対象」ではあります）。

一般書から有効な部分を取り出すには、読者に専門知識が必要です。ゆえに、シビアな態度ですが、初学者ならば、一般書すべてに警戒してほしいと思います。世の中の新しい動きの情報はまず一般書から得ることが多いと思いますが、著者の立場に注意して読んでください。

以上の分類で言えば、本書は、準専門書（入門書）と一般書のあいだに位置するものでしょう。哲学や精神分析学をベースにしているので準専門書の面がありますが、僕個人の経験則的な面もあるので一般書でもある、というバランスです。

信頼性《しんらいせい》、学問の世界
情報の比較を続けている、つまり勉強を続けている人たちは、何らかの「**知的な相互****信頼の空間**」に属している。それは「**研究**」であり、最もシビアに言えば「**学問**」です。

研究は一人で勝手にやることではありません。複数の研究者と関わり、歴史をふまえて行うことです。そのために大学や研究所、学会、研究サークルなどの研究環境がある。所属のない独立した研究者も、直接・間接に、外部から何らかの研究環境に関わっています。

本章の始めで、信頼できる著者、「まとも」な本、という表現をしました。

信頼性の——絶対的ではなく、相対的な——根拠とは、その著者・文献が「知的な相互信頼の空間から信頼を受けているかどうか」である。

もう少し詳しく言えば、専門分野の業界や、学問の世界に直接・間接の関わりがあり、同種のテーマに関する他者との建設的な議論が背景にあるかどうか、です。

著者に関しては、「学会誌」に論文を投稿しているとか、専門家向けの（一般向けではなく）レクチャーをしているとか、そういう活動状況を著者のウェブサイトなどで調べることで、ある程度は判断できます。ツイッターなどのSNSで、他の専門家と専門的に意味のある（たんなる社交ではなく）やりとりがあれば、それも参考になるでしょう。

　文献に関しても、専門家集団からの評価があること、これを基準にしてください。多くの専門家が参考文献として使っている文献は、とくに重視されているものだといえるでしょう。

　知的な相互信頼の空間で、最もシビアなのは、歴史ある学問の世界です。
哲学、歴史学、数学、法学、経済学、生物学、社会学、文学といったものです。
学問は、異なる立場の比較自体を目的としている。比較が自己目的的である。
だから、理想論として言えば、学問は、特定の利害に与《くみ》しないという意味で、中立的なものであろうとしています。しかしこれは理想論で、学者や学会もまた、世の中の利害関係につながっており、学問の営みに「政治的文脈」を読み取ることも必要ではあります。

　他方で、職業の現場では、明らかに利害が絡む＝目的的であるため、中立的に比較を続けることよりも、役立つ結論をスピーディーに出すことに力点がある。ですから、比較をしぶとく続け、考えを仮固定で保つ、という勉強の条件から言って、現場的な知識には注意する必要があります。ビジネス書もそうで、時代（のノリ）に合わせる必要性から、新しい制度やテクノロジーを十分批判的に考えずに受け入れているものがよく見られる。

そうした性急さに対し、立ち止まって考えようとするのが学問的な態度なのです。

ですから、勉強を進めるにあたっては、学問をベースにして、その上に、より現代的で現場的な知識を置く、という二重構造で考えてください。

良かれ悪しかれ、学者は基礎的な問題について長々と議論しています。だから、学問の世界には、スピーディーであるべき職業の現場では見落とされがちな、複雑で繊細な知識がたくさん転がっています。学問はそれ自体はスローな世界で、実利を目的としませんが、むしろ実利を目的とする人がまだ見ぬアイデアを求めるにふさわしい場所でもあるのです。

読書の技術——テクスト内在的に読む

本に対する心構えができたところで、読書の技術論に進みたいと思います。

先ほど、入門書のところで少し説明しましたが、読書において大事なのは、自分の実感に引きつけて理解しようとしないことです。あるいは、

難しい本を読むのが難しいのは、無理に納得しようと思って読むからである。

僕の感覚で言うと、読書というのは、知らない部屋にパッと入って、物の位置関係を把握するようなイメージです。そのときに、なぜそこにそれが置いてあるのかという意味はすぐには理解できない。そうだとしても、たとえば、奥にコピー機がある、その手前にテーブルがあり、テーブルの上にはマグカップが二つあって、というような把握はできる。この喩えで言いたいのは、納得よりも先に、使われている言葉の種類や、論理的なつながりなどを把握してほしいということです。それは、テクストの骨組み、「**構造**」を分析することです。

ここからは、あらゆる書かれたものを「テクスト」と呼ぶことにします。「テキスト」は「教科書」の意味で使われるので、「テクスト」にさせてください。

別の喩えをすると、どんな分野のものでも、SFやファンタジー小説を読むように読む。そういう小説の場合、架空の生物とかアイテムとか魔法とかが、その世界の「設定」のなかでどういう機能をもつのかを把握しながら読むことになります。専門分野を

学ぶことはそれに似て、ある設定、すなわち構造のなかで、言葉＝概念の機能を捉えることなのです。

自分の実感に引きつけないで読む、というのは、あるテクストを「テクスト内在的」に読むことである。それは、テクストの構造＝設定における概念の機能を捉えることである。

そのためには、どうすればいいか？

言葉に対する自分の実感をゼロにして読むことなどできません。つまり、私たちは、自分が属する環境から完全に離れて言語を使うことはできない。そこで、自分のこれまでの言葉づかいをベースにするが、その効力を半分に抑えて、残り半分をテクスト内在的な新たな意味に置き換える、という気持ちで取り組むのはどうでしょう。

何度も使っている例ですが、「他者」という概念で、どうしても人間、他人をイメージしてしまうなら、それを半分に抑えて、もう半分で新たな意味を受け入れるようにする――本書では「他者」に、動物やモノ、架空の存在や、神まで含めている。

別の例も挙げましょう。「権力」という概念。多くの人にとって、権力とは、政治家といった「権力者」が振るうもの、というイメージだと思います。けれども、権力の概念は、哲学や社会学の分野では、次のようにもっと柔軟に使われています。まず、権力者というものを広く捉える。強い立場の人であれば、トップに位置していなくてもすべて権力者です。会社では社長がトップだとしても、課長も平社員にとっては権力者である。警察官も、牛丼屋の店長も、駅員も、権力者です。

しかしさらに、弱い立場から強い立場への働きかけも、権力と言えるのです。牛丼屋の店員は、いざとなったら団結して職場放棄することで、店長の、会社のやり方に抵抗できる。これは弱い立場の権力です。会社の経営では、経営者の権力と労働者の権力が妥協しあったり、ぶつかったりしている――「労使」の関係ですね。

こうした使い方に慣れるには、まずは、政治家のような権力者が一方的に権力を振るうというイメージをベースとしつつ、それを半分に抑えて、もう半分で、弱い立場からの働きかけも権力と呼ばれる、という新たな意味を受け入れるのです。このように言葉づかいを半分更新することから始め、さらにその後、最初にあった言葉のイメージから脱却していく。

そのテクストのなかでの、あるいはそのテクストが属する専門分野のなかでの、言葉の使われ方、定義を確認する――自分がその言葉をどう思いたいかとは関係なしに。

二項対立を把握する

テクストの構造を大きく捉えるには、概念の対立関係に注目するのが効率的です。そのテクストにおいて「二項対立」がどう使われているか発見する。二項対立とは、反対の意味になる概念のペアということです。

たとえば、先の「権力」ならば、社会理論では、「抵抗」を対立させることが多い。あるいは、ぜんぜん違う分野ですが、コーチングの分野には、「内発的な動機」と「外発的な動機」という区別があります。自分自身からやる気が湧いてくる場合と、外から促されてやるようになる、という違いです。

普段の生活から、何を読むときでも、反対語に気づくよう心がけるといいでしょう。

とくに文系の議論では、二項対立の一方を「悪」、他方を「善」とする構造がよく見られます。僕は「マイナス概念」、「プラス概念」と呼んでいます。とくに作品の批評・評論は、あまり良くない言い方ですが、「何かの概念を叩いて、何かの概念を持ち上げる」という構造を意識すると、読みやすくなることが多いと思います。

この善悪構造は、本書にもあります。最初、「ノリ」はマイナス概念であり、対して、通常はマイナス扱いをされる「ノリが悪い」が、プラス概念になっている。これに関連し、「目的的」はマイナス、「自己目的的」はプラスですね。他にもこのように割り当てられる概念があります。「何かの概念を叩いて、何かの概念を持ち上げる」という構造は、一般に、「こうすべきだ」、「こうあるべきだ」という主張、すなわち「価値的」な主張をするときに使われる構造ですが、注意すべきは、対立の「境界」を曖昧にするような問題がたいがい生じることです。ものごとを安定的に善悪に区切るのは、そもそも無理なのです。善悪構造は、境界の問題によって揺さぶられる。

本書では、善悪構造の不安定さをむしろ活用することによって、ノリの概念に「含み」をもたせていると言えるでしょう。

実はノリは、単純にマイナス概念なのではありません。第二章の終わりの方になって、自己目的的な「享楽のノリ」というプラス概念が提示されることになる。ノリは、善側と悪側にまたがる境界的な概念になる。

「バカ」という概念も同様です。第三章の結末ですが、たんに環境のノリに合わせているという意味での「バカ」と、環境に対してメタになりつつ、環境のなかで特異的な存在として行為する「来たるべきバカ」が、識別不可能になると述べました。バカも境界的な概念なのです。

単純にバカなノリと、メタな態度を含むノリとが、両義的に重なる。

こうした二項対立の揺さぶりの問題については、ジャック・デリダという哲学者が詳しく論じていますので、もし興味がわいたら調べてみてください。

言語のアマ・モードとプロ・モード

テクスト内在的に読書をするときに、大前提にあるのは、言葉を「文字通りに」捉えるという態度です。それに対立するのは、「だいたいこういう意味だろう」という理解。

何かを「理解」するというのは、結局は「だいたい」でしかありません。究極の理解なんてありえません。しかし、勉強においてひじょうに重要なのは、自分のだいたいの理解と、正確な「文言《もんごん》」を分けて認識し、自分の理解をテクストの特定の箇所にきちんと「紐づける」ことです。このように書いてあった、という「文字通りの証拠」がまずある。それについてだいたいの理解をしたわけです——証拠となるテクスト自体と、自分の理解を区別する。

だいたいの理解をするときには、元のテクストにない言葉を使って自分なりに嚙み砕いていたりするものです。そのときに、自分のその言い方が、元のテクストに実際に書いてあったという勘違いがひじょうに起こりやすい。

プロの仕事においては、証拠となるテクストに文字通りにどう書かれているかが問題となることがよくあります。たとえば、契約書の取り扱い。何かトラブルが起きた際に、「この契約はだいたいこういう意味ですよね」とゆるく共感を求めるのでは、通用しないわけです。契約期間や解除条件など、書いてある文言を文字通りに捉えて、どのように解釈するのが妥当かが争われることになります。

このような態度を、**「言語のプロ・モード」**と呼んでみたい。厳密に言語偏重になる。それに対し、だいたいの理解で言語を、それ自体としてではなく意味として扱うのは**「言語のアマ・モード」**であるとしましょう。

学問の世界でも、言語のプロ・モードが重要です。先に少し言いましたが、学問的な研究書や論文に書いてあることは「文字通り」に尊重される必要がある。それは証拠の役を果たすのです。文言自体が現実に対して効力を発揮する、契約書に似ているのです。

文言を証拠として扱うことと、ダジャレのような言葉遊びは、どちらも言語をそれ自体として捉える言語偏重の態度であるという意味で共通しています。

勉強は、言語のアマ・モードとプロ・モードの両輪で進む。

テクストを丸々暗記する必要はもちろんありませんが、自分の理解では、言葉が元のものと違っている可能性があることに注意する。そして、重要な部分に関しては、元々はどういう表現で書いてあったのかを覚えておきたい。あるいは、確認したいときに確認しやすくしておけば十分です。具体的には、読書をするときに、後で証拠として使うべき部分を「引用」して読書ノートに書いておきます。後で使う引用を蓄積しておくのです。

自分のだいたいの理解を、証拠となるテクストから区別しつつ、それに紐づける。

なんとなく読み散らかしているだけでは、自分が考えたことなのか、どこかに書いてあったのかわからなくなってしまいます。そうすると、他人のアイデアと自分のアイデアがごっちゃになり、気づかないうちにパクリをしてしまうということが起こりかねない。

どこまでが他人が考えたことで、どこからが自分の考えなのかをはっきり区別して意識しなければならない。

これは個性的なアイデアを育《はぐく》む上で、ひじょうに大事なことです。

ある概念や考え方が「誰のどの文献によれば」なのかを意識し、すぐに言えるよう心がけてください。そのために読書ノートをつける必要がある。何という文献に文字通りにどう書いてあったのか、何ページなのかを明確に書き、それと区別して、自分の理解をメモしておく。勉強を続けるというのは、そのように「出典」——文献の名前とページ数、さらに出版年など——を明記した読書ノートをつけ続けることです。**自分の知識を出典に紐づける。**

ノート術——勉強のタイムライン

勉強とは、これまでの生活に縛られないで自由に考える時間と空間を、これまでの生活のなかに作ることです。勉強を始めることで、生活が二重になる。別の「タイムライン」ができる。これまでの生活から「浮いて」存在するような、勉強のタイムラインです。

急に生活を変えて勉強に没頭するのはリスキーでしょう。それでは、決断主義的になる。そうではなく、これまでの生活のなかに「いながらにしていない」状態で、勉強を続ける。

勉強のタイムラインを区別して意識するには、それをはっきり具体的に存在させるべきです——勉強のタイムラインの具体的な存在、などと言うと大げさですが、それは単純に言って、「勉強用のノート」にほかならない。ノートを作り、維持するのです。

逆に言って、勉強用のノートとは、生活の別のタイムラインそのものであり、自分の新たな可能性を考えるための特別な場所なのだ、という意識をもってほしい。

また、本書では、勉強のプロセスに自分の享楽的こだわりの分析も含めています。ですから、勉強用のノートは、普段の表の生活では抑圧されている、自分の享楽の無意識的なあり方につながっているものとしても捉えてほしい。

勉強用のノートにおいて、未来の可能性と過去のこだわりが相互作用するのです。

紙のノートと資料を入れるファイルでもかまいませんが、現代的には、多種類のデータを保存しておけるノートアプリを使うのがお勧めです。代表的には、Evernoteや、Microsoft の Office に入っている OneNote ですね。なお、僕は Evernote ユーザーです。

フォルダのような容れ物を作れることが条件です。Evernote では、「ノートブック」と呼ばれます。ノートブックのなかに、束にしていろんな「ノート」を入れておく。ノートブックは複数作れるので、社会学用のノートブック、音楽用のノートブック、というように別々に作っておいて、異なる勉強のプロジェクトを同時並行で走らせることができる。

読書をしながらのメモや、とりあえずのアイデア出しは手書きにして、最終的にスマホのカメラで撮って、ノートアプリに転送する。手書きとデジタルを行ったり来たりする。

ひとつのノートアプリのなかに、普段の仕事や学校の科目用のノートブックと、個人的な勉強のためのノートブックを作っておけば、何をするにもそのアプリを見ることになります。ならば、生活のタイムラインと勉強のタイムラインを区別しつつ同時に存在させ、勉強をつねに横目に入れておく、というふうに、「いながらにしていない」を実現できる。

勉強の経過をノート（アプリ）に書くことは、勉強の継続にとって重要です。何を読んだのか、どこまで考えたのか、何がまだわからないのかなどを書き、いつでも簡単に開けるようにしておく。サボることがあっても、経過の記録があればいつでも戻れる。拠点となるノート（アプリ）の存在は、周りのノリに流されたり、「もういいや」で決断したりすることに対する抵抗になるでしょう。勉強を続けるには、日々ノート（アプリ）の管理をするように心がける。

ノートアプリ内で複数のノートブックを管理していれば、何かを三日坊主にしてしまってもまた戻ることができます。というより、むしろ積極的に三日坊主を利用して、目移り的＝ユーモア的に複数の専門分野を「横断的」に勉強することをお勧めしたい。僕は、三日坊主的にあれこれ勉強するなかで、分野の垣根を越えたつながりが見えてくるのが勉強の醍醐味だと考えています。

僕が勤める大学院には、デジタルゲームの研究をしている学生が多くいるので、僕は普段から、新作ゲームのニュースや、ファミコン以来の歴史資料をEvernoteに集めています。そのゲーム研究のノートブックは、しばしば精神分析学のノートブックとシナジー（相乗効果）を起こします。人は何を欲望するのか、何を楽しいと思うのか、苦痛を快楽に変換しているんじゃないか、といった問いを媒介として、ゲームを「欲望論的」に捉える見方がいろいろ思い浮かんでくる。

また、社会学のノートブックには、SNSや新聞のサイトで見つけた事件の記事も入れてあって（Evernoteには、ネットの記事をすぐに保存できる機能があります）、それが、精神分析学やゲーム研究とシナジーを起こしています。現代的な事件をやはり欲望論的に意味づけ、「この事件があのゲームと同時代的である」というのを、仮説として、欲望の何らかの「大きな構造的問題」として解釈できないか、といったアイデアが芽生えてくる。

このように、複数のノートブックがシナジーを起こすようになると勉強はますますおもしろくなります。もちろん、あまりに手を広げすぎない、自分にコントロールできる範囲を意識することが重要なのですが、ともかく三日坊主で行ったり来たりすることは、幅広く知識を接続することであり、それが「教養」を形成するということなのです。

書く技術――横断的に発想する

勉強は、読むことが第一です。そして読みながらノートを書く。本章では最後に、書くことをさらに発展させる方法を紹介しましょう。

どうすれば書けるようになるのか。「書く自分」を存在させることができるのか。

文章を書く、となると、構えてしまう人も多いと思うのですが、「書きながら考える」ようにすればいいのです。うまい文章を書こうとしなくていい。

普段から、書くことを思考のプロセスに組み込む。

アイデアを出すために書く。アイデアができてから書くのではない。

アイデアを書くことで出すように努めているうちに、長いものも書けるようになってくる。

先ほど、横断的な勉強によってアイデアを出す方法を示しました。ゲーム・精神分析・社会問題をつなぐ例では、ユーモア的な連想を、アイロニー的に「大きな構造的問題」を想定することでまとめていたと言えるでしょう。そこでこんどは、最後までユーモアで行くパターンを考えてみます。ものごとを別の見方で捉えて、「変身」させてしまうようなやり方です。

僕は一時期、人体の絵をもっとうまく描きたくて、筋肉について勉強していました。専門的には解剖学ですね。首根っこから背中の「僧帽筋」とか、太ももの「大腿四頭筋」とか、筋肉の形を覚えようとした。けれども、絵はちょっとマシになったかならないかで飽きてしまった。その解剖学的な知識は、同時に、ジムで筋トレをするのに応用できました。絵を描くよりも、自分の筋肉をパーツごとに意識する、ということに興味が移った。どういうフォームが効果的に各筋肉に負荷をかけるのかを考えました。それでその後、また絵を描こうとしたら、以前よりも筋肉の形が細かくイメージできるようになっている。たんに解剖図を見ていただけのときよりも。筋トレを通して、解剖図が自分自身の身体に結びつけられたわけです。人体デッサンが筋トレを充実させ、そして筋トレが人体デッサンにフィードバックされることになった。

ここで、少し大胆にジャンプして考えてみます。

人体を描くというのは、あるモデルの、その人ならではの特異性を表現することです。その特異性を、筋肉のレベルで分析的に捉えるのがデッサンである。ところで、自分自身の筋肉を鍛える、しかも個別の筋肉に意識を向けて鍛えるのは、自分をデッサンし、表現することであると言えそうだ——だから筋トレもまた、アートなのである。逆に、アートにおいて人体を扱うにあたっては、筋トレをしているときのような、身体に対する敏感さが必要である。

筋トレがアートになり、アートが筋トレになる、変身する。

一見別々のことでも実は「似たこと」として考えられる、という発想をもつ。

こういう連想的＝ユーモア的な発想は、集中してアイロニカルに問題の根本を探ることに比べて、リラックスした状態において展開されやすいように思います。

いまの例は、第三章の欲望年表で書いた、僕がかつてのスポーツ嫌いをどうやって解消したかという話に関係しています。少年時代の僕は、アートのような文化系的なこととスポーツを切り離していた。その分離がこだわりになってしまっていた。しかしその後、勉強を進め、いろんな分野が接続されるなかで、スポーツの楽しさと意味を自分なりに発明したのです。

アウトライナーと有限性

横断的に勉強していると、アイデアは散漫な形で断片的に湧いてくる。そうしたアイデアを最初からきちんと書こうとすると、その鮮度をダメにしてしまう。勉強を進めながら書くための基本的な方法としてお勧めしたいのは、箇条書きによる「フリーライティング」です。

箇条書きはわかりますよね。一、二行で、多くても三行くらいで短く書く。フリーライティングというのは、思いつくままに、話がズレていっても気にせず、どんどん書いていくという実践です。

たとえば、朝一番にお茶を飲んでから、昨日読んだ本について、そして最近ふと感じたことについて書き、それから今日の予定を忘れないようにメモし、そこで予定の詳細を考え始めてしまったら遠慮しないで書き、そのあいだに別のことを思いついたらそれを書き……というような感じです。制約なしに、純粋なアイデア出しとしてやるのも効果的ですし、最初に特定のテーマを設定して書き始めて、そこからズレても気にしないというやり方もある。

目移りしたり、少し深掘りしたりの行ったり来たりです。

アイロニーとユーモアが交代して作動する。

欲望年表の材料もこのやり方で出すのがいいでしょう。

この作業のためには、パソコンのキーボードを速くタイプできた方がいいですね。スマホでもできなくはないと思いますが、書いたことを後でコピー・アンド・ペーストして別のファイルに移したりといった編集をするので、パソコンの方が便利です。

箇条書きでの入力をサクサクやるには、「アウトライナー」と呼ばれるアプリを使うことをお勧めします（あるいは「アウトライン・プロセッサ」、これが従来の言い方ですが、ここでは短く「アウトライナー」にします）。これは、ある程度書いてエンターを押すと、そこまで書いた部分が、一個の区切られた部分＝箇条書きになるというアプリです。ひとつひとつの箇条書きは、上下に移動して順序を変えることができる。だから、思いつくままに書いてはエンターで、どんどん箇条書きを作り、後に要らないものを消し、関連するものを近くに寄せたり、論理展開になるよう並べたりできる。さらに、ひとつの箇条書きを「親」とし、そこに別の（複数の）箇条書きを「子」として収納し、「階層構造」を作ることもできる。

複数の箇条書きが並んでいる状態を「アウトライン」と呼びます。

アウトライナーの特徴については、Tak.『アウトライナー実践入門』が参考になります。

従来は、アウトラインと言うと、本番の文章を書く前に、構成を確定しておく「設計図」というイメージが強かった。しかしTak.は、そうではなく、自由にアイデアを膨らませるためにアウトライン作成をする、という新たなイメージを提示しています。これは、本書の言い方で言えば、アウトラインを自己目的的にするということでしょう。あるいは、玩具的にする。本番の文章作成のためにアウトラインを使う、という道具的な使用ではなく。

アウトライナーにおいて、区切られた箇条書きは、レゴ・ブロックのピースのようなものです。順序の入れ替えは、ブロック遊びである。本書では、ブロックの喩えを言葉の組み替え可能性――環境のコードに縛られない、自由な――を言うために使いましたが、アウトライナーで実現されるのは、短い文の形をとった「思考」の組み替え可能性なのです。

フリーライティングをしていると、何か気になるイメージとか、場面とか、理由を説明しにくい具体的なものがわいてくることがあります。そのときに考えるべきテーマと関係なく。そういうものも言葉にしてみる。アウトライナーで書いているなら、そういう部分もそのまま書いてしまって、後になってから別のところに保存しておく。

おそらくそれは、自分の享楽的こだわりに関係している断片です。そういうものが、小説や詩など文学の着想につながる可能性もあります。

大して意味がなさそうだけれども、気になること。自分の奥底の無意味に触れているのかもしれない「雑念」。それは、たとえば、マーケティングの勉強をたんに目的・道具的に、仕事の役に立てようというだけでやっているのならば、切り捨てられるでしょう。それではもったいないと思うのです。雑念にこそ、「自分ならではの無意味」が宿っている。何か「非意味的形態」のきらめきがある。自由な勉強とは、意味と無意味の行ったり来たりである。

箇条書きというのは、これまた有限化のテクニックです。

ワープロの無限に続く真っ白な画面を前にすると、途方に暮れる。どうにでも書けるわけです、それゆえにどう始めていいかわからない……僕にはそういう感覚があります。

ひとつの箇条書きはそう長くは書かないものです。アウトライナーに字数制限はありませんが、箇条書きで書くという構造である以上、潜在的に字数制限があるかのような意識で書くことになります。ひとつの思考を短く終えなければならない、とにかく思考をある簡潔な形にしなければならない、いますぐ――まさしく有限化が働くのです。アウトライナーは、有限的に書くということの練習の場として捉えることができる。

長い文章を書くというのは、「ひとまずこの程度でいい」という思考の仮固定が、たくさん積み重なっていくことです。文章を書くとき、何か漠然と大きなことをしようとしているという意識では、身動きがとれなくなるでしょう。小さなタスクに分解する。小さな箇条書きに分解する。一個一個は、仮固定でいいのです。仮固定から仮固定へ進んでいく。書くということの現実は、小さな積み重ねです。アウトライナーはそれをはっきり可視化してくれる。

ところで、「書くことの有限化」についてさらに言えば、デジタルな方法に加え、手書きを併用することも重要です。僕の実感としては、紙のノートへの手書きでは、アウトライナーでの箇条書きよりもさらに強く有限化が働きます。当然、一枚の紙は有限な範囲であるし、それにタイピングよりもペンで書く方が手が疲れます。単純な事実ですが、このことが、書ける、書いてしまう内容におよぼす影響は小さくないと思っています。

書く内容が強く絞り込まれるので、手書きは、考えの「太い」部分を整理するのに役立ちます。細かい枝葉ではなく、幹を明確にしたいときに僕は作業を手書きにチェンジする。余計なことを払いのけられる。ワープロやアウトライナーで書いているものもときどき紙にプリントして赤ペンで書き込みをし、またパソコンに戻って編集する。

「有限化の強さ」が異なるツールを行ったり来たりして、思考を整理していく。

それは、彫刻に似ています。刃の大きさが違うノミ、目の粗さが違うヤスリを切り替えながら、徐々に形を作っていく——というこの説明もまた、先に述べた、異質なものごとを連想的につないでみるというユーモアの発想にほかなりません。

＊　＊　＊

以上、この最終章では、他の勉強に関するガイドでは見ないような、ごくごく基礎的なことに集中して説明しました。本の種類、信頼性のチェック、読書における言葉への関わり方、ノートアプリの活用、自由連想的に書きながら考えること、これらすべては勉強を有限化するためのコツです。

勉強のきりのなさ——深追い方向（アイロニー）と目移り方向（ユーモア）の——に打ちのめされず、ある程度で、「一応は勉強したことになる」という状態を成立させる。

情報過剰の現代においては、有限化が切実な課題です。

日々、「一応はここまでやった」を積み重ねる。ある仮固定から、新たな仮固定へと進んでいく。それが勉強を継続するということ。だから、これは極論ですが、勉強は、どの段階でやめてしまってもそれなりに勉強したと言える。中断による仮固定。

これは読書についてバイヤールを参照しつつ言ったことと同じです。目次を読むのだって、拾い読みだって、読書である。そもそも完璧な通読などありえない——。

同様に、ある分野を完璧にマスターしたなんていう「勉強完了」の状態はありえません。

マスターしたいというのは、アイロニカルな欲望にほかなりません。絶対的に根拠づけられた状態を、真理をつかむことを欲望しているのです。そうではなく、根拠を問うけれども深追いはしすぎないというふうにアイロニーを途中で抑え、ユーモアの方へ折り返す必要がある。ユーモアとはすなわち、何らかの新しい見方を、ある程度のできるだけの勉強で仮固定することです。そして三日坊主で、また別の見方にも切り替えてみる。さまざまな別の見方を比較する、比較し続けるのです。

中断によって、一応の勉強を成り立たせる。

どんな段階にあっても「それなりに勉強した」のです。完璧はないのです。

しかし、中断の後にまた再開してほしい。中断と再開を繰り返してほしい。

そして、勉強を続けている者同士の相互信頼に参加してほしい。

勉強を進めるうちに、友が必要になってくるでしょう。友は、教師よりも必要な存在です。

ノリの悪い友と、キモい友と、語りたくなる。

それこそがまさにノリであるノリ、自己目的的なノリを楽しんでいる、来たるべきバカ同士の、互いの奥底の無意味を響かせ合うような勉強の語り合いへ。

結論

最後に、本書の主要なトピックをまとめておきます。

第一章(原理編1)。勉強とは、これまでの自分の自己破壊である。これまでの自分は、環境のなかで保守的に生きてきた(保守的状態)。それは、環境における「こうするもんだ」=コードにノっていたということである。ところで、勉強とは、別の考え方=言い方をする環境へ引っ越すことである。新たな環境のノリに入ることである。

そのときに、不慣れな言葉の違和感に注意してほしい——不気味なモノのようになった言葉の存在感である。それが「言語それ自体」のあり方である。特定の環境における用法から解放され、別の用法を与え直す可能性に開かれた言語のあり方である。これを「器官なき言語」と呼ぶ。器官なき言語で遊ぶこと——レゴ・ブロックのピースを組み合わせるように言葉を自由に組み合わせる言葉遊びこそが、生の可能性を豊かに想像することだ。このような「玩具的な言語使用」こそが、あらゆる勉強において根本的である。

深い勉強、ラディカル・ラーニングとは、ある環境に癒着していたこれまでの自分を玩具的な言語使用の意識化によって自己破壊し、可能性の空間へと身を開くことである。

第二章（原理編2）。環境のノリから自由になるとは、ノリの悪い語りをすることである。

ノリの悪い語りが、自由になるための思考スキルに対応している。大きく分けて、思考にはツッコミ＝アイロニーとボケ＝ユーモアがある。根拠を疑って、真理を目指すのがアイロニーである。根拠を疑うことはせず、見方を多様化するのがユーモアである。勉強の基本はアイロニカルな姿勢であり、環境のコードをメタに客観視することであるが、その上で、本書では、アイロニーを過剰化せずにユーモアへ折り返すことを推奨している。

アイロニーは過剰になると、絶対的に真なる根拠を得たいという欲望になる。それは実現不可能な欲望である。アイロニストは、言語の環境依存性――特定の環境における言葉の意味、すなわち言葉の用法は、たんにその環境において「そうだからそう」というだけで、絶対的に根拠づけられているのではない――を嫌い、極限的には言語の破棄を目指す。

そこで、アイロニーをやりすぎずにユーモアに折り返す。というのは、言語はそもそも環境依存的でしかないと認めることである。しかし、ユーモア＝見方の多様化についても極限的な状態が考えられる――あらゆる見方から見方への移動が可能になり、さらには、あらゆる言葉が接続可能になるという状態である。そこでは、言語は意味が飽和し、機能停止に陥る。

これは理念的な話であり、事実上私たちの言語使用ではユーモアは過剰化せず、ある見方が仮固定されている。それを可能にする条件は、私たちひとりひとりの個性＝特異性としての「享楽的こだわり」である。享楽的こだわりが、ユーモアを切断する。ところで、享楽的こだわりを固定的でどうにもならないものと見なすと、それは運命的に私たちを縛るものになってしまう。本書では、勉強の過程を通じ、享楽的こだわりは変化しうると考える。

第三章（原理編3・実践編1）。どのように勉強を開始するか。まず、自分の現状をメタに観察し、自己アイロニーと自己ユーモアの発想によって、現状に対する別の可能性を考える。

身近なところから問題を見つけ、キーワード化し、それを扱うにふさわしい専門分野を探す。勉強とは、何らかの専門分野に入ること、そのノリに引っ越すことである。だが、専門分野の勉強は、深追い（アイロニー）方向と目移り（ユーモア）方向にきりがなくなる。したがって、勉強を有限化する方法を考えなければならない。

アイロニー的な有限化と、ユーモア的な有限化を区別しよう。アイロニーは「決断主義」につながる。だが、それは回避すべきである。ユーモア的な有限化は「比較の中断」である。

決断主義は、絶対的な根拠を得ようとして得られないために生じる。逆説的に、「絶対的な無根拠こそが絶対的な根拠である」という定式によって、たんに無根拠に「エイヤッ」と何かを決断すれば、それが絶対的に根拠づけられていることになる、というのが決断主義である。

こうした決断主義は、無批判に何かを信じ込んだ状態であるため、避けるべきである。そこで、絶対性を求めず、相対的に複数の選択肢を比較し続けるというユーモア的な方法へと向かう――比較を続ける途中で中断し、ベターな結論を仮固定し、また比較を再開するのである。これが勉強のプロセスにおいて基本姿勢である。

ところで、比較の中断は、個々人に享楽的こだわりがあるからこそ可能である。そして、享楽的こだわりは、自分の興味関心の背景を反省し、意味を捉え直すことで、ある程度は変化させられるだろう。それは、こだわりのそもそもの発端、偶然的で無意味な出来事に立ち戻ろうとすることである。そのための自己分析の方法として「欲望年表」

の作成を提案した。

環境のなかでノっている保守的な「バカ」の段階から、メタに環境を捉え、環境から浮くような「小賢しい」存在になることを経由して、メタな意識をもちつつも、享楽的こだわりに後押しされてダンス的に新たな行為を始める「来たるべきバカ」になる。アイロニーからユーモアへ、享楽へという段階を経て、本書の「原理編」が完結する。

第四章（実践編2）。勉強とは、何かの専門分野に参加することである。まず、入門書を複数比較して、専門分野の大枠を知る。または教師に最低限のポイントを教えてもらう。その上で、教科書や基本書で詳細を確認する。読書の際には、拾い読みでも読書であり、全体を読むにしても「完璧な通読」はできないという意識で取り組むべきである。

勉強の本体は、信頼できる文献を読むことである。信頼性の条件は、「知的な相互信頼の空間」に結びついていることである。この条件からして、勉強の一番底に置くべきは、歴史ある学問であり、その上に、現代的・現場的な専門分野を載せるという二重構造の意識をもつ。

読書の基本的な方法は、これまでの自分の実感に引きつけて読もうとしないことである。言葉の「テクスト内在的」な位置づけを把握する。勉強においてはテクストを「文字通り」の証拠として扱う姿勢が必要であり、自分なりのだいたいの理解と、どういう「文言」で書いてあったのかを区別しなければならない。この区別を曖昧にしていると、知らずに他者の考えを剽窃《ひょうせつ》してしまうことになる。その防止のために、読書ノートに後に使用したい引用箇所をきちんとした「出典」をつけて記録する。

勉強を継続する＝生活のなかで勉強のタイムラインを維持する。そのために便利なのがノートアプリである。複数のノートブック（フォルダ）を作成し、複数の勉強を同時並行的に進め、それらのあいだで相乗効果が起きることを期待する。アプリを拠点にしていれば、しばらく勉強から離れたとしてもまた戻ることができる。

書く技術は、「書くことで考える」習慣によって向上するだろう。自由連想的に書いていくフリーライティングを勧めたい。そのためにはアウトライナーが便利だろう。アウトライナーでの箇条書きも勉強の有限化である。思考を短く切り出し、仮固定で操作する。長く書こうとすると構えてしまうならば、仮固定の思考を積み重ねていく書き方を基本とするのがよい。

付記

本書の学問的背景を知りたい方、専門家の方へ。

本書は、ドゥルーズ&ガタリの哲学とラカン派の精神分析学を背景として、僕自身の勉強・教育経験を反省し、ドゥルーズ&ガタリ的「生成変化」に当たるような、または精神分析過程に類似するような勉強のプロセスを構造的に描き出したものです。

当初はそうしたフランスの文脈がもっぱらの背景でしたが、執筆が進むにつれて、日常的なコミュニケーション経験の概念分析が必要になり、後期ウィトゲンシュタインの「言語ゲーム」論や、ドナルド・デイヴィドソンの言語論なども参照することになりました。

結果として、本書は、ドゥルーズおよび精神分析と、分析哲学(における言語論)を架橋する議論の萌芽的なものであるとも言えます。

まず、コードの概念について説明しましょう。

これは第一に、社会言語学的な意味で使われています。諸々の環境（あるいは共同体、社会体）における言語使用と行為のコード。第二にそこに、ドゥルーズ＆ガタリとフーコーを念頭に置いた、権力論的な意味が込められている。

環境のコードに規定された保守的状態から抜け出す、という本書を貫くストーリーは、フーコーとドゥルーズ＆ガタリに由来します。フーコー的に言い直すならば、権力のシステム（規律訓練とセキュリティ）のなかで統治されている自分の立場を自覚し、そこから「外」を目指すというわけです。そこにドゥルーズ＆ガタリ『アンチ・オイディプス』、『千のプラトー』における「脱コード化」論を接合し、統治への抵抗を、非意味化する芸術的プロセスとして捉える（これは後期フーコーの関心事でもある――生を芸術化すること）。

親は子供に勉強しなさいと言いますが、統治に抵抗するために勉強するということは意味していないものです。本書で「深い」勉強、ラディカル・ラーニングと呼ぶのは、「統治への抵抗＝非意味化する芸術的プロセス」なのです。

第三に、言語のコードは「用法」の束である、というラカンの見方も借りています。そしてこの見方を媒介とし、言語の意味作用を実践のなかで捉えるウィトゲンシュタインの言語観を本書に引き込んでいます。

特定のコードから自由な、用法から離れた「言語それ自体」とは、ラカン的には「シニフィアン」に当たる。本書では、ジャック・デリダやポール・ド＝マンを念頭に置きながら「シニフィアンの物質性」を問題にしました。そしてそれは、ハイデガーの道具分析を応用することで、「壊れた道具」の存在感として説明される。このような道具論の存在論的応用は、グレアム・ハーマンの「オブジェクト指向哲学」を参考にしています。

そして、ドゥルーズ＆ガタリの「器官なき身体」概念を転用することで、「モノとしての言語＝身体」を「器官なき言語」と呼びました。それは、新たな用法に開かれているという意味において「潜在性」ないし「ポテンシャル」に満ちている言語のあり方である。器官なき言語は、とくに詩的言語において意識化されるというのが本書の立場であり、合理的な言語使用を詩的言語から切り離さず、スペクトラム的につないでいるところが特徴です。

第二章におけるアイロニー／ユーモア論は、ドゥルーズ『ザッヘル＝マゾッホ紹介』に依拠しています。『マゾッホ紹介』では、サディズムをアイロニーに、マゾヒズムをユーモアに結びつけ、両者は「法」を転覆する二つの手段であるとしている。本書では、この二元的な構図を借り、法をコードの概念に置き換えることで、先の言語論・権力論的な文脈に『マゾッホ紹介』を接続しました。第二章では、暗黙のうちに、『マゾッホ紹介』とフーコー、『マゾッホ紹介』と『アンチ・オイディプス』および『千のプラトー』、『マゾッホ紹介』とラカン、『マゾッホ紹介』とウィトゲンシュタイン、という橋渡しがなされています。

アイロニーが到達不可能な究極の現実を目指すというのは、ドゥルーズによるサド解釈(さかのぼればそれは、ピエール・クロソウスキーによるサド解釈にもとづく)です。ドゥルーズによればマゾヒズムはユーモアなのですが、このことが本書では、人間の根本にマゾヒズムを置くという前提、レオ・ベルサーニ『フロイト的身体』に由来する前提と関連している。

アイロニーよりもユーモアを強調するという姿勢は、ドゥルーズのものです。僕はそれを継承した上で、「アイロニーからユーモアへの折り返し」という一種の弁証法を描きました。このアイデアは、僕の『動きすぎてはいけない――ジル・ドゥルーズと生成変化の哲学』第五章において展開されたものです。

加えて今回は、アイロニーだけでなくユーモアの過剰化を説明し、事実上それは「享楽」が止めている、という議論を新たに追加しました。

この部分は、『動きすぎてはいけない』における「非意味的切断」の議論に対応する――ということが、執筆の途中で自覚されてきました。

ユーモアの展開は、ドゥルーズ&ガタリが言うところの「リゾーム」(横断的な関係づけ)の展開です。『動きすぎてはいけない』では、リゾームのどこにでも「非意味的切断」が生じるとドゥルーズ&ガタリが述べたことに注目しました。そして、接続過剰になりうるリゾームには非意味的切断も起こる、ならば非意味的切断とはどういうことか、と考えた。ユーモアの過剰化とはリゾームの接続過剰であり、ユーモアの過剰化の切断とはリゾームの接続過剰の非意味的切断である。このように対応づけられる。『動きすぎてはいけない』の段階では、非意味的切断の条件として、疲れや気散じといった経験的な例を挙げていました。本書においては、さらに概念的に、個々人の「個性=特異性」すなわち「享楽的こだわり」(と周囲との相関性)によって、非意味的切断を説明したことになります。この享楽論は、後期ラカンの「サントーム の臨床」に由来するものです。その理解のためには、松本卓也のラカン論『人はみな妄想する』を参考にしました。『マゾッホ紹介』におけるアイロニー/ユーモアの対立を、後期ラカンの享楽論に接続したわけです。

アイロニーからユーモアへの折り返しは、そうしなければ言語が使えなくなる、という理由によって要請されます。アイロニストは、環境依存的な言語のあり方、つまり「言語の意味とは用法である」という立場を攻撃し、言語を真の「現実」＝ラカン的な「現実界 le réel」に一致させようとする。それは不可能なので（というのはラカン的な仮定です）、言語の環境依存性（意味＝用法という立場）の承認へと転回する。これはすなわち、後期ウィトゲンシュタイン的な言語観への転回に当たる。ですから、「アイロニーからユーモアへの折り返し」を言語の可能性の問題として捉えるならば、ドゥルーズのマゾヒズム＝ユーモア論とウィトゲンシュタインの言語ゲーム論が重なり合うことになります。

第三章において、「アイロニーからユーモアへの折り返し」には、「決断主義」への批判という意義が与えられる。本書では略しましたが、決断主義はここで、実は「独我論」に対応するものと想定されています——私の決断（決断するだけの純粋な意志）によって存在させられたものだけが存在するという立場です。決断主義＝独我論から、他者（複数の）を存在させる、すなわち、言語（の条件）を存在させることへと転回する。それがユーモアへの転回である。したがってユーモアへの転回とは、独我論から言語ゲーム論への転回である。

そして、コードの「適用」の異常という、法学的なやり方でのユーモアの説明は、ウィトゲンシュタインからクリプキが抽出した「規則のパラドックス」に対応している。有名な「クワス算」の思考実験です。それは次のようなものです。

私はこれまで「+プラス」の計算を同じように規則的に行ってきたつもりである。そこで、これまで出会ったことのないケース、68+57を計算するとなったら、私は125と答えるだろう。しかし、私に対し、次のように告げる者が出現する――実はその答えは5である、なぜならあなたがこれまで行ってきた「+プラス」とは、

もしx, y<57ならば　x⊕y=x+y
そうでなければ　x⊕y=5

と定義される「⊕ クワス」だったのである。

本書におけるユーモア的な「コード変換」とは、クワスの生成であると解釈できる。逆に言えば、クワスの生成とはユーモアであり、ボケであると言えるでしょう。

ドゥルーズとクリプキの接合面において、ユーモアの過剰化とは、クワスのような潜

在的な規則の増殖であり、それを止めること、つまり、ある規則の仮固定を本書では問題にしていたことになるでしょう。ある規則が別物でもありうるという潜在性をカットすること。これが非意味的切断であり、そしてその条件が享楽的こだわりであり、さらにはその背後にある偶然的な「非意味的形態」の成立である。ここから、規則の成立の根本的な偶然性、規則と非意味的形態（ないし形式）、といったトピックをさらに考察する必要が出てきます。こうした本書のウィトゲンシュタイン、クリプキとの関係については、柵瀬宏平さんからアドバイスをいただきました。

補章　意味から形へ——楽しい暮らしのために

「勉強の哲学」から「制作の哲学」へ

『勉強の哲学』を出した後、サバティカルでアメリカに行った僕は、しばらくそこから「制作の哲学」というプロジェクトを温めていました。それは、広い意味で「ものを作ること」についての原理的考察です。文章を書くことも作ることだし、美術とか音楽もそう。ジャンル横断的な「制作」について考えることが、ここしばらくの課題になっていました。

そもそも『勉強の哲学』を書きながら僕が考えていたのは、根本的には、いかに何かを作る人になるか、ということです。続編の『メイキング・オブ・勉強の哲学』は『勉強の哲学』をいかに作ったのかを語ったもので、それは『勉強の哲学』の応用でもありました。続編において、この本の方法論が検証されているわけです。

そこで、メイキング本を出したことも踏まえて、この文庫版では『勉強の哲学』の延長線上で「制作論」を展開してみたいと思います。この本で述べた勉強論は、「自分自身を作り直す」ような何らかの制作行為につながるものなのです。文章を書いたり、絵を描いたり、料理をしたり、あるいは部屋の模様替えをすることまで含めて、言ってみればすべてが「自己制作」であるわけです。

では、勉強から制作へ、どうやって次の一歩を踏み出したらよいのか？　そのヒントとなる考え方を説明していきましょう。

勉強しながら何かを制作することは、生活を楽しくするための間違いないやり方だと僕は思います。何かを作りながら暮らしていくのが楽しい暮らしである。というのが僕の実感だし、価値観なのです。

『勉強の哲学』は、勉強とは自己破壊である、というところから始まっていますが、それは、周りの環境から強いられた価値観によって固まってしまった自分があるとして、それを破壊して新たな自分になろう、ということです。自分の作り直しです。では、それは具体的にどのような生き方をすることなのか？

いままで特定の価値観で固まっていた自分というのは、ものの見方が狭かったはずです。その価値観のもとでしか判断できないから、好き嫌いも硬直的で融通が利かない。

であれば、それを壊して、もっといろんなものを肯定的に面白がれるようになる、いままで受けつけなかったものも受け入れられるようになる、というのが基本的に勉強の進むべき道なのです。世界をより面白がれるようになると、生活がクリエイティブなものになる。勉強することによって生き方がより否定的になるというのは、僕が推し進めたい勉強の方向ではありません。

「楽しい暮らしのモデル」を考える

そのための具体的な方法として、アイロニーとユーモア、そして自分の身体にもとづく享楽という三つの頂点を持つ「勉強の三角形」をこの本では描いたわけですが、それを応用することで、「楽しい暮らしのモデル」を提案してみたいのです。

「作ること」には、たとえば書くこと、読むこと（解釈すること）、音楽や絵など芸術的な活動、あるいは日常生活のメンテナンスなどいろんな実践がありますが、仕事をすることもぜひ同じ平面上で考えてもらいたい。ただ言われた業務をこなすのではなく、ただ儲けるために頑張るというのでもない。どうやって仕事をするのかも自分自身の生のスタイルですから、創造性のないものとして仕事を切り離すのではなく、自分の身体的実感にフィットするような仕事のやり方を考えていくことも含めて、制作論を考えてみたい。

無理して周りのノリに合わせない、というのが大きなコンセプトです。もちろん、生きていく上では周囲の要請に応えなければならないことはあるにせよ、なるべく自分の身体に準拠することを大事にしながら、仕事や趣味や教養をすべて同一平面上で考えていきたいと思います。

まず、アイロニー、ユーモアという二つの軸について復習しましょう。

アイロニーとは、この本では、既存の価値観を疑うということでした。何かある事柄について、これは不道徳だとか、これはうちの会社にはふさわしくないといった判断がされるときに、本当にそうだろうかと疑い、根拠は何なのかを問う。

そして、そう疑問を向けたのに対し、相手が何かひとつの根拠を挙げてきたら、さらにその「根拠の根拠」を問うことができるわけです。すると、さらに「根拠の根拠の根拠」を問う……というように、どんどん根拠づけは無限退行するので、結局は、どんな価値観も究極の根拠を持たないということになる。そのように、実はありとあらゆる価値観は、本当だったら無限退行してしまいかねないのだけど、その根拠づけをどこかで強制的にストップして、無理やり非合理的に押しつけることで成立しているわけです。

このように、価値観の本質的な無根拠性を暴いてしまうのがアイロニーですが、それを徹底したら、結局いかなる価値観も採用できなくなってしまう。アイロニーの過剰は、何も信じられないという事態に行き着きます。

そこで、アイロニーの無限退行を、あるところでユーモアによって中断することが必要だとこの本では説明しました。

アイロニーをタテ方向のものとして、根拠を深掘りしていくイメージで捉えるなら、ヨコ方向に行くのがユーモアです。すなわち、ある価値観に対して別の見方をしてみたらどうなるか、と別の価値観を提示してヨコへズレるのがユーモアなのでした。タテに掘るのは際限がないので、ある程度タテに掘り下げると同時に横にズレてみよう、というわけです。

さて、ではこのアイロニーとユーモアを、実生活に応用するとどうなるか。

たとえば、女性はこうあるべきだとか、管理職ならこう考えるべきだとか、人は何らかの価値観ないし規範から人を判断していて、日常はそういう価値判断の連続です。そこでアイロニーをかけて、本当にその判断は正しいのかと考えてみる。会社で、この業務を担当する者はこうふるまうべきだ、と思っていたけれども、いや本当にそうだろうかと疑ってみる。価値判断を一時停止する。そこで、ユーモア的に別の見方をしようとする。……すると、だんだん、ある特定の価値観のもとでの判断ではなくて、ただ目の前で起きている出来事をそのまま見て受けとめるという感じになっていくでしょう。

目の前で起きている出来事、人の言動の良し悪しを即断できなくなる。判断が宙づりになる。朝、会社で上司が私に言ったことを、アドバイスとして受け取る価値観もあれば、皮肉として受け取る価値観もあるし、冗談だと捉える価値観もあるかもしれない。そのように、さまざまなフィルターをユーモア的に並列させる練習をすれば、人から言われたことの解釈はひと通りではなく、いろいろだと考えることができるようになる。そうすると、多様な解釈のいわば「交差点」としての、ただ言われたこと、ただ起こっている出来事に向き合うことができるようになる。言われた文字通りの言葉、そのトーン、リズム、身ぶり。それだけ。誰かが、音として言葉を発し、脚を動かして去って行く――野生の動物のように。あなたはその出来事に、自然を観察するみたいに立ち会っている。

小説的に世界を捉える

ここで芸術のジャンルをひとつ出すならば、僕は小説というのは、そういうことだと思うのです。小説的に世界を捉える。特定の価値観から「裁く」ような発想で世界を見るのではなく、小説では、人のやることは両義的、多義的であると考えて、解釈の交差点としての「ただの出来事」を記述している。

恋人からの言葉は、愛の言葉であると同時に、そこには何か自分を責めるようなものが含まれているかもしれない。どんな言葉にも出来事にも、自分にとってプラスとマイナスがどちらも含まれている。そこで、プラス、マイナスどちらかに決めつけようとするのではなく、両義性あるいは多義性の状態を許容する――なかなかそれに「耐える」

ことができない人もいるかもしれません――のが文学的態度だと言えると思います。

というかおそらく、この感覚がわからないと小説、とくに純文学というものがわからないと思うんです。エンターテインメント小説ならば、人のふるまいや出来事の意味を単純化することで成立しているところがあると思いますが、純文学では両義性や多義性が重視されていて、出来事をありのままの複雑さで――一方的に価値づけするような表現を避けて――書こうとします。

まず『勉強の哲学』の応用としては、アイロニーによる価値の宙づり、ユーモアによる価値観の並列化をやってみると、人間観察が面白くなるという効果があるはずです。毎回はうまくいかないと思いますが、嫌いな人の言動にも直情的に反応せずに、いったん受け流すことができるようになるかもしれない。ああ、この人はこういう人なんだ、しょうがないな、とちょっとクールに眺めて距離を取るわけです。

そこでぜひ試してもらいたいのは、自分の日常に起きた出来事を、ただ起こったままに書いてみるということです。アイロニー、ユーモアの眼鏡を通して見えてくるただの出来事としての日常を、ただただ書いてみる。人に言われたことに対して何かこじれた感情を持っていても、テープ起こしのように、それをただの「セリフ」として書いてみる。ただ起こったことを起こったように日記にしてみる。

できるだけ無表情に、無個性に出来事を書くように努める。それが、逆説的かもしれませんが、オリジナルな小説世界を立ち上げるためのひとつの方法だと思います。がんばって自己表現しようとしない。起きたことをただ書くのですが、「ただ書く」というのは実は不可能で、要素の取捨選択が無意識に働くし、書き方のリズムには身体的なクセが出ます。そういうひじょうに身体に近いところで生じるクセが、文章の本質的なオリジナリティだと思います。文章に対するこういう身体的なアプローチは、さらに言えば、ダンスという芸術につながっていくかもしれません。説明しましょう。

ダンスとして出来事を見る

言動についての価値判断、それに結びついた喜怒哀楽の変化を一時停止して、ただ自然を観察するようにしてみる。そうすると、相手の言っていることも行動も、意味から離れて、ただの動きに、「運動の形」になってくるでしょう。

たとえば会社に、いつも文句ばかり垂れる嫌な上司がいるとして、その人がぶうぶう言うのも、「これはただの動きなのだ」と一歩退いて見てみる。言われたことを、ただ文字通りにそう言っているだけのこととして、録音するように聞く。そうすると、だんだん世界が、ダイナミックな運動の連鎖として立ち現れてくる。動くものが描く線、動きのリズム。リズムの語源である古代ギリシア語の「リュトモス」には「形、形態」という意味があるのですが、意味の理解とは関係なくただ起こっている運動の形＝リズムを捉えるのです。目の前の出来事を、根源的な意味で「世界のダンス」として捉える。何をしているのか（意味）ではなく、動きそのものの面白さを鑑賞する芸術としてのダンスです。ダンスとして日々の出来事を見る。それは、出来事を目的性から解放し、出来事を自己目的的な運動として見る、ということです。

上司に叱られているのだとして、その意味をいったん棚上げにし、たんに言葉や口調、身体の様子を他人事のように観察する――というのは離人症的な感覚ですが、そうやって自分を二重化して、つまり叱られている自分とその自分を退いて見ている自分とが同時にいるような感覚になる。それがおそらく、芸術を作るのに欠かせない感覚です。

踊るということは、動きの自己目的化です。普段私たちは体を目的的に使っている。塩をテーブルの上から取るとか、ドアを開けるというのは何かを達成する目的的な動きですが、そうではなく、ただ体を動かすためだけに動かす。それがダンスです。

こっそり部屋で一人、何のためでもない動きをしてみる。他人に見られたら不審に思われる動きです！（笑）でも、それが身体を自己目的化する基本的なレッスンで、それはひじょうに抽象的なダンスの発生だと言えます。特定の曲のフリを覚えることとは違う、コンテンポラリーダンスに近い抽象的なダンスになるはずです。意味のないヘンな動きというのは前衛的なものですが、それこそミニマムなダンスなのです。

人間観察を離人症的にやってみて、出来事をただ書いてみることでできる小説というのも一種の前衛小説です。でも、それこそがいちばんミニマムな小説なのです。

小説というと普通は、起承転結があって、エンタメ的に起伏がある物語を思い浮かべるかもしれませんが、エンタメ的な小説はひとつの形ではあるけれども小説のすべてではありません。そういうストーリーは目的的なものです。だんだん緊張感が高まり、やがて緊張が解消されてカタルシスが起きる、そこを目的として筋を組み立てるというのが基本的な流れです。しかし、そういった目的的な構成をいったん完全にやめてしまうほうが、むしろ、芸術としての文学を自分なりに開始する最短距離の方法なのです。

形やリズムとしての言語――現代詩、短詩のほうへ

さて、ここで改めて言語について考えることにしましょう。「形」として、リズムとして世界を捉えるというダンス的見方をさらにラディカルに言語そのものに向けると、詩が発生します。

小説は通常、常識的に意味がわかる文で構成されているけれども、ラディカルな現代詩になってくると、常識的な意味伝達はそこでは崩壊して、曖昧な比喩であったり、言葉のダジャレ的なつながりだったり、言葉自体が持つ物質性とでも言うべきものを操作

するようになります。この本では小笠原鳥類さんの例を挙げました。現代詩では、言葉そのものを「面白い形」として取り扱っていると考えればよいのです。

これまた前衛的で極端な詩の捉え方ですが——詩にはもっと意味的、目的的な書き方もありますが——、前衛的で極端であることこそが、むしろそのジャンルのミニマムな条件を示しているということがここでもまた言えるわけです。しかし、言葉ひとつひとつを物質的に捉えるというのはなかなか難しいことかもしれません。

現代詩は言語が壊れそうになる「やばい」領域に近づきますが、言葉をリズム的に扱うジャンルとしては、俳句や短歌のような定型の短詩がなじみやすいでしょう。五・七・五、五・七・五・七・七というリズムの中で、リズムと意味の両面で遊ぶ。

俳句は、ある場面を瞬間的に切り取るものが多く、その面白さは写真に近いと思います。僕の友人である北大路翼の句には、絶妙な瞬間を捉えるスナップ写真のような鮮やかさがあります（句集『時の瘡蓋』などをぜひ読んでみてください）。それに比べて短歌は主観的、心情的な性格が強い。写真は非人間的なカメラアイなのですが、短歌には「私」の物語がある。この章で述べている考え方は俳句寄りかもしれません。

俳句というと「わびさび」というような伝統的な価値観がすぐ出てきますが、この際そういうことは考えなくてよいのです。特定の価値観で判断するのではなく、ただの出来事に立ち会うという態度で、目の前のことをただパシャパシャとスナップを撮るように言葉のリズムに収める。五・七・五というのは、レンズでありフレームです。逆に、写真を撮るときには俳句的発想で撮ってみればいい。写真を撮るときにも、何か意味を伝えるという発想なしで、ただ、ある形やリズムを切り取ればいいのです。

絵画の問題を考える——自由な線を解放する

本章はまず文学から話を始めましたが、形で遊ぶというのは、もっと直接的には絵を描くということになりますね。

絵を描いてみる。それも、何か意味がわかるものを描くのではなく、ただ気持ちいいと感じるままに手を動かしてみる。対象を正確にデッサンするというのではなく、ただ線を自由気ままに描いてみる。これが簡単なようで難しいのです。自由に手を動かしているつもりでも知っているものを描こうとしてしまうし、また、抽象的にしようと意識すると丸や三角のような典型的な図形を描こうとしてしまう。

私たちは成長するにつれ、意味のないものを描けなくなってしまいます。

幼児は、ジャクソン・ポロックのように線を縦横にダイナミックに走らせて、大人の目から見れば「抽象画」に見えるものを、たんに楽しいというだけで描いている。大人になってからそういうふうに幼児と同じように描こうとしても難しい。たんに楽しいだけ、つまり享楽的だった身体運動が、だんだん周りから押しつけられる常識によって抑圧されていくからです。大人になってから芸術的な絵を描くというのは、その抑圧を（部分的に）解除することを意味する、と僕は考えます。

子供の絵はある段階で「記号的」になります。三角形の下に四角形を描いたら「家」になるとか、丸の中に三つ点を描けば「顔」だとか。いつしかLINEのスタンプのように、一対一対応で何かを示す記号しか描けなくなってしまう。

なぜそうなるかというと、それは言語が発達するからです。成長にしたがって、物と言葉を一致させていき、「ラベル」としての言葉を話すようになります。そして次第に、言葉のラベルを通してしか世界を見ることができなくなる。また、身体運動も言葉のラベルによってコントロールされるようになる。お絵描きをしましょうと言われて、家だとか顔だとか、アニメキャラだとかをまず描こうとしてしまうのは、子供は言語に乗っ取られていく、という人間の運命を示している事態なのです。

もちろん、家を家だとわかるように描くとか、ドラえもんをドラえもんだとわかるように上手に描くのもそれはそれで楽しいと思いますが、多くの人はその範囲の外に出られなくなってしまっている。

「ヘタウマ」と言われるような味のある絵を描く人たちは、記号的な表現が下手だとしても、むしろそこから溢れ出すような原初的な線の自由さを持っているのです。そういう人たちは、幼少期のあのエネルギーを抑圧しきれていないのです。多くの人はその自由を成長とともに強く抑圧していて、かつての状態には戻れなくなっている。絵画のレッスンでは、以上に述べたことを念頭に置いて、記号を上手に描こうとしないで、何か記号的ではない線、あるいは記号から逃れていく線を描く、という意識で試してみたらどうでしょう。とはいえ、ランダムに線を描くだけではすぐつまらなくなってしまいます。家とか自然とか、何か動物とか、一定の記号性を持つものを上手く描こうとしないで描くのは面白いレッスンになるでしょう――記号性を全否定はせずに、いわば、記号化への抵抗運動の線を描く、というような意識の持ち方です。

絵画を記号性から解放する難しさは、詩の難しさとも関わっています。成長するにつれて自由に絵が描けなくなるのは、言語によって線の自由さが抑圧されるからです。ところで、詩は、言語それ自体を自由にしようとするジャンルなのでした。詩においては、自由な運動を抑圧するものとしての言語自体を抑圧から解放する……そんなことをしたら、本当に無秩序になってしまうのではないでしょうか。

詩の才能というものは、記号的な言語の成立にいくらかトラブルを抱えていることと深く関係していると思います。記号的な言語使用がまったく問題ない人には、言葉ひとつひとつを形として扱って、言葉の抽象画を描くようなことは難しいでしょう。それはとても「健康」だということなのですが。

音楽もルールから離れてみる

では、音楽はどうでしょう。音楽は絵画よりもはっきりとルールでがんじがらめのジャンルです。この和音の後にこの和音を置くのはダメ、というような禁止がたくさんあり、そういう制約のなかで可能な組み合わせを考えることになる。いま一般的な音楽は、一八、一九世紀西洋のクラシック音楽のルールを多少拡張したものだと言えます。

とはいえ、本当に絶対にダメな音の並びがあるわけではありません。民族音楽や近代以前の音楽には、西洋近代のルールに慣れた耳には奇妙に響く音楽があります。人類の生物的レベルで心地よい音楽というのがあるのかもしれませんが、それ以上に、異質な音楽をそれはそれで気持ち良く思えるようになるのは慣れの問題だと思います。人間の美意識は可変的です。

いま一般に流通している音楽のルールを絶対視する根拠はあるのか？　という疑問はアイロニーで、民族音楽などの響きへと耳を拡張するのはユーモアです。その二つを組み合わせることで、ただの出来事としての音に向き合えるようになる。その次元を指しているのが、ジョン・ケージの作品《四分三十三秒》です。この作品は、ピアニストがピアノの前に座ってもピアノを弾かないことで有名です。その四分三三秒の間、耳に入ってくるのは会場のさまざまな雑音なのです。つまり、ただの出来事を聞くのです。音楽もまた、形それ自体、リズムそれ自体に向かっていくという方向で遊んでみましょう。テーブルをペタペタ叩いてみるとか、恥ずかしいかもしれないですが「あ、う、あー、あー」とか、メロディーになりそうでならないような音の線を作ってみる。原始的な即興演奏です。それは、幼児のように自由に絵を描くこと、現代詩的にダジャレのような言葉遊びをすることとまったく同じレベルにある音楽行為です。

タモリの芸に、ピアノの白鍵だけを好きに弾けばチック・コリア風の演奏になる、というものがありますが、あれは音楽理論的にも正当なことです。白鍵をランダムに弾いたときには、厳密に言えばファとシを同時に弾いたときだけ濁った響きになるのですが（増四度という音程が生じる）、それ以外は問題なく響きます。気にするならば、ファとシを同時に弾かないように、というルールだけ設定してもいいのですが、慣れればその濁りを許容することもできる。白鍵だけで弾くというのは、ジャズにおけるモード奏法の一種です。

不協和音に耳が耐えられるなら、白鍵だけを基本として、ときどきランダムに黒鍵を混ぜていくと、響きが複雑に、現代音楽的になります。ブーレーズとかシュトックハウゼンとかそのあたりの前衛の感じになってくる。そして結局は、鍵盤全部をどう好きに弾いてもそれなりに面白く聞こえる状態になるはずです。これは、客観的にそれが音楽として成り立っているかどうかではなく、（弾きながら）聞く側の価値観の問題なんです。

いきなり即興演奏と言われても、指がなかなか動かなくて難しいかもしれない。でも、こうでなければ音楽ではない、という思い込みを止めて、ただの指の運動から始めてみればいいのです。音楽の捉え方をそうやってミニマムなものにしてみる。これまた前衛的な音楽の捉え方ですが、それこそが音楽のミニマムな定義なのです。

形を操作してみること、それは仕事の創造性につながる

ここまでいろんなジャンルを横断しながら、「作ること」に踏み出すための第一歩を語ってきました。ひとつのジャンルを極めたいという気持ちからは離れて、つねにジャンルとジャンルの中間に自分を位置づけながら、ただ形を感じて操作してみよう、ただその無意味な享楽を楽しんでみよう、と提案してきました。そうしてみるとそこには、自分自身のミニマムで根本的な個性が表れてくると思います。

それはひいては、芸術的制作だけでなく、自分の住む空間や、生活のリズムをどう設計するかということにもつながっていく。さらに、仕事における自分らしさの作り直しにもつながるでしょう。

仕事では外からの要請に従わなければならない。でも、そのなかで、「もうひとつの意識」を持つこともできる。仕事において経験する出来事も、アイロニーとユーモアを交差させながら捉えれば、文学的なものに見えてくる。仕事で目に入る場面を、写真的あるいは映画的な場面と見ることもできる。そういう芸術的意識は、仕事で押しつけられる価値観に単純に巻き込まれず、距離を取って状況を見るということに他なりません。

この本で僕は、アイロニーとユーモアによって周りのノリから距離を取ることの重要性を強調してきました。一方では、みんなが当たり前だと思っていることの問題点を指摘できるようになること。他方では、別の観点から新しいアイデアを出せるようになること。仕事の場面において、そのように冷静で客観的であるというスキルは、実は状況を芸術的なものとして捉えるというスキルと同じなのです。

つまり、世界を芸術的に形の運動として捉えることができるならば、仕事において冷静でクールに振る舞うこともまたできるはずなのです。ビジネススキルとクリエイティビティは一致する――多くの人はなかなかそこに気づかないのですが、このことをわかった上で言葉の力を鍛えていくと、仕事の自由度も今より広がっていくはずです。

この章では、日常生活を小説的に捉えるということを「作ること」の出発点に置きました。やはり何をおいても重要なのは、言語に対して意識的であることです。言語をそれ自体として意識することで、言語の操作性を高める。言語は、思考の可能性を広げてくれるものであると同時に、自由な運動を抑圧するものでもある。だから、言語に対して意識的であるということは、言語との闘いなのです。言語をより巧みに使って、より良い提案をしようとする。と同時に、言語の支配力から逃れるために言語を（その支配力を）意識し、子供の頃のあのダイナミックな運動を取り戻そうとするのです。

参考文献

青山拓央『分析哲学講義』ちくま新書、二〇一二年。

赤坂和哉『ラカン派精神分析の治療論――理論と実践の交点』誠信書房、二〇一一年。

浅田彰『構造と力――記号論を超えて』勁草書房、一九八三年。

ウィトゲンシュタイン『ウィトゲンシュタイン全集　第八巻　哲学探究』藤本隆志訳、大修館書店、一九七六年。

梅棹忠夫『知的生産の技術』岩波新書、一九六九年。

江川隆男『超人の倫理――〈哲学すること〉入門』河出ブックス、二〇一三年。

小笠原鳥類『小笠原鳥類　詩集』現代詩文庫、二〇一六年。

北大路翼『時の瘡蓋』ふらんす堂、二〇一七年。

倉下忠憲『Evernote とアナログノートによるハイブリッド発想術』技術評論社、二〇一二年。

ソール・A・クリプキ『ウィトゲンシュタインのパラドックス――規則・私的言語・他人の心』黒崎宏訳、産業図書、一九八三年。

小泉義之『ドゥルーズと狂気』河出ブックス、二〇一四年。

佐々木敦『未知との遭遇【完全版】』星海社新書、二〇一六年。

Tak.『アウトライナー実践入門――「書く・考える・生活する」創造的アウトライン・プロセッシングの技術』技術評論社、二〇一六年。

千葉雅也『動きすぎてはいけない――ジル・ドゥルーズと生成変化の哲学』河出書房新社、二〇一三年。

ドナルド・デイヴィドソン『真理と解釈』野本和幸ほか訳、勁草書房、一九九一年。

ドナルド・デイヴィドソン『真理・言語・歴史』柏端達也ほか訳、春秋社、二〇一〇年。

デカルト『省察』山田弘明訳、ちくま学芸文庫、二〇〇六年。

ジル・ドゥルーズ『ザッヘル＝マゾッホ紹介――冷淡なものと残酷なもの』堀千晶訳、河出文庫、二〇一八年。

ジル・ドゥルーズ＆フェリックス・ガタリ『アンチ・オイディプス――資本主義と分裂症』上下巻、宇野邦一訳、河出文庫、二〇〇六年。

ジル・ドゥルーズ＆フェリックス・ガタリ『千のプラトー――資本主義と分裂症』上中下巻、宇野邦一ほか訳、河出文庫、二〇一〇年。

冨田恭彦『ローティ――連帯と自己超克の思想』筑摩選書、二〇一六年。

二村ヒトシ『すべてはモテるためである』イースト・プレス、二〇一二年。

マルティン・ハイデッガー『存在と時間』上下巻、細谷貞雄訳、ちくま学芸文庫、一九九四年。

ピエール・バイヤール『読んでいない本について堂々と語る方法』大浦康介訳、ちくま学芸文庫、二〇一六年。

箱田徹『フーコーの闘争――〈統治する主体〉の誕生』慶應義塾大学出版会、二〇一三年。

長谷川公一・浜日出夫・藤村正之・町村敬志『社会学 新版』有斐閣、二〇一九年。

平田仁胤「ウィトゲンシュタイン規則論の学習論的意義――『ウィトゲンシュタインのパラドックス』の検討を通じて」、『教育哲学研究』第九五号、二〇〇七年。

広瀬大志『広瀬大志 詩集』現代詩文庫、二〇一六年。

レオ・ベルサーニ『フロイト的身体――精神分析と美学』長原豊訳、青土社、一九九九年。

堀田新五郎「『存在と無』と決断主義のアポリア」、『奈良県立大学研究季報』第一七巻一号、二〇〇六年。

松本卓也『人はみな妄想する――ジャック・ラカンと鑑別診断の思想』青土社、二〇一五年。

シャンタル・ムフ編『カール・シュミットの挑戦』古賀敬太・佐野誠編訳、風行社、二〇〇六年。

カンタン・メイヤスー『有限性の後で——偶然性の必然性についての試論』千葉雅也ほか訳、人文書院、二〇一六年。

望月遊馬『焼け跡』思潮社、二〇一二年。

ジャック・ラカン『無意識の形成物』上下巻、ジャック＝アラン・ミレール編、佐々木孝次ほか訳、岩波書店、二〇〇五—〇六年。

セルジュ・ルクレール『精神分析すること——無意識の秩序と文字の実践についての試論』向井雅明訳、誠信書房、二〇〇六年。

リチャード・ローティ『偶然性・アイロニー・連帯——リベラル・ユートピアの可能性』齋藤純一ほか訳、岩波書店、二〇〇〇年。

Graham Harman, *Tool-Being: Heidegger and the Metaphysics of Objects*, Open Court, 2002.

Jacques Lacan, *Le sinthome. Le Séminaire Livre XXIII*, éd. J.-A. Miller, Seuil, 2005.

あとがき

最後までおつきあいいただき、ありがとうございました。

本書を通して勉強の楽しさが少しでも伝わったことを願っています。

勉強を原理的に考えるためとはいえ、だいぶ複雑な、言語と欲望の問題に踏み込む内容となっており、読みにくいところもあったかと思います。流れを見失った部分がありましたら、要約として書かれている結論で本書の全体像を確認していただければ幸いです。

最後に言いたいのは、勉強はいつでも始められるし、いつ中断してもいい、ということ。

勉強は変身です。

だから、変身はいつでも始められる。そして、いつ中断してもいいのです。

中断の箇所において、人は誰でも特異にバカな存在として（第三章で述べたように、バカ＝idiotには、特異性という古代の意味が残響している）、異彩を放つのです。

「深い」勉強は、ちょっとした調べものから始まります。ちょっとした調べものから変身が始まる。

いま、何か気になっている、調べたいことはありませんか。

＊＊＊

本書を書きながら僕は、中学生の頃、いまの僕と同じく三〇代後半の父が毎夜ビジネスのノウハウを語り聞かせてくれたことを思い出していました。

経営者だった父は、夜九時まで働き、帰宅して僕の相手をし、そして自室にこもって遅くまでハードボイルド小説を読んだり、ラジコンを塗装したり、真空管アンプを作ったりしていた。多趣味であることを「徳」とする価値観を僕は父から継承しました。それが本書におけるユーモア重視の姿勢につながっています。

いまの僕に中学生の子供がいる、そういう状況だったのかと思うと不思議な感じがします。

今回、僕は、やや露悪的なまでにノウハウを語ることに挑戦してみました。おそらくそれは、かつての父の姿をなぞりたいという無意識的な思いに——あの父の特別な部屋、真空管やコンデンサや、色とりどりのケーブルや、塗料や酒瓶を溜め込んだあの部屋への享楽的こだわりに、衝き動かされてのことだったのでしょう。

本書を父に捧げます。健康を祈りつつ。

＊＊＊

執筆の過程では、多くの方々にお世話になりました。
とくに、ラカンとフーコーをご専門とされる畏友・柵瀬宏平さんからは、本書の理論構築にあたり多大なご助力をいただきました。本当にありがとう！　そして御礼以上に、頻繁な相談でご迷惑をおかけしてしまったことを深くお詫び申し上げます。
また、ラカンに関しては、京都大学で教えていらっしゃる精神科医の松本卓也さんからも貴重なご教示をいただきました。誠にありがとうございました。

そして学生のみなさん、同僚の先生方、妹と従兄弟、行きつけのバーで共に飲んだ方々からもたくさんの示唆を得ました。

最後に、執筆の初期においてアイデアの構成にご協力をいただいた斎藤哲也さん、筆の遅さのためにスケジュールが延期されるなかで、粘り強く僕をコーチングし、少しでも多くの方に伝わる表現を模索してくださった担当編集者の鳥嶋七実さんに、深く御礼申し上げます。

解説　究極のビジネス書

佐藤優（作家・元外務省主任分析官）

高等教育がなぜ必要なのかという問題に正面から取り組んだ名著だ。哲学の古典として歴史に残る本と思う。千葉雅也氏は、難解な事柄について、水準を落とさずにわかりやすく表現する卓越した能力を持っている。まず、人間は「勉強する動物」であるということを読者に再認識させる。

〈それに、そもそもの話として、全然勉強していない人なんていません。生きていくのに必要なスキルは、誰でも勉強します。読み書き、計算が基本ですね。稼ぐには仕事のスキルを覚えなきゃならない。人づきあいがわかってくるのだって勉強です。転職したら、また別のスキルの勉強をすることになる。

人は、「深くは」勉強しなくても生きていけます〉（13～14頁）

「深く」勉強する目的を一昔前の人たちは、インテリ（知識人）になるためと説明したが、千葉氏はそれを「ノリが悪くなる」と表現する。

〈深くは勉強しないというのは、周りに合わせて動く生き方です。状況にうまく「乗れる」、つまり、ノリのいい生き方です。それは、周りに対して共感的な生き方であるとも言える。逆に、「深く」勉強することは、流れのなかで立ち止まることであり、それは言ってみれば、「ノリが悪くなる」ことなのです。

深く勉強するというのは、ノリが悪くなることである。

いまの自分のノリを邪魔されたくない、という人は、この本のことは忘れてください。それは、ひとつの楽園にいるということです。そこから無理に出る必要はありません。勉強は、誰彼かまわず勧めればいいというものじゃありません〉(14頁)

19世紀初頭のロシアで活躍したアレクサンドル・グリボエドフ(1795~1829年)という作家がいる。本職は外交官だった。1824年に『知恵の悲しみ』という戯曲を発表した。3年間の外遊からもどった主人公(チャツキー)にはロシア上流階級の姿が尊大さと阿《おもね》り、無知蒙昧のグロテスクな世界に見えた。それを率直に指摘した主人公は「狂人」と見なされてしまうというあらすじだ。主人公はノリが悪くなってしまったのだ。ちなみにグリボエドフはペルシャのロシア大使館に勤務していたときに、シャー（皇帝）のハーレム（後宮）から逃げ出してきたアルメニア人（キリスト教徒）の少女を匿った。それに怒った暴徒が大使館に乱入し、グリボエドフを撲殺した上で、斬首した。グリボエドフは知識人らしく、周囲に流されずにノリの悪い生き方を貫いたのだ。

それではノリが悪くなった先に何があるのか。

〈勉強を深めることで、これまでのノリでできた「バカなこと」がいったんできなくなります。「昔はバカやったよなー」というふうに、昔のノリが失われる。全体的に、人生の勢いがしぼんでしまう時期に入るかもしれません。しかし、その先には「**来たるべきバカ**」に変身する可能性が開けているのです。この本は、そこへの道のりをガイドするものです。

勉強の目的とは、これまでとは違うバカになることなのです。

その前段階として、これまでのようなバカができなくなる段階がある〉（15頁）

グリボエドフは、これまでとは違うバカになった。だから死後200年近くが経っても彼のテキストが生き残っているのだ。
千葉氏は、勉強にあたっては、言葉の使い方が死活的に重要になると考える。

〈自由になる、つまり環境の外部＝可能性の空間を開くには、「道具的な言語使用」のウェイトを減らし、言葉を言葉として、不透明なものとして意識する「玩具的な言語使用」にウェイトを移す必要がある。

言語をそれ自体として操作する自分、それこそが、脱環境的な、脱洗脳的な、もう一人の自分である。言語への「わざとの意識」をもつことで、そのような第二の自分を生成する。

地に足が着いていない浮いた言語をおもちゃのように使う、それが自由の条件である。

言語は、現実から切り離された可能性の世界を展開できるのです。その力を意識する。わざとらしく言語に関わる。要するに、言葉遊び的になる。

このことを僕は、「言語偏重《へんちょう》」になる、と言い表したい。自分のあり方が、言語それ自体の次元に偏っていて、言語が行為を上回っている人になるということです。それは言い換えれば、言葉遊び的な態度で言語に関わるという意識をつねにもつことなのです。

深く勉強するとは、言語偏重の人になることである。

言語偏重の人、それは、その場にいながらもどこかに浮いているような、ノリの悪い語りをする人である。あえてノリが悪い語りの方へ。あるいは、場違いな言葉遊びの方へ。

勉強はそのように、言語偏重の方向へ行くことで深まるのです〉（55～56頁）

私も千葉氏の意見に全面的に賛成する。知識人とは「言語偏重」の世界で生きる人たちなのである。この関連で重要なのは、小説に目を向けることだ。千葉氏は小説を読むことを推奨する。

〈小説的に世界を捉える。特定の価値観から「裁く」ような発想で世界を見るのではなく、小説では、人のやることは両義的、多義的であると考えて、解釈の交差点としての「ただの出来事」を記述している。

恋人からの言葉は、愛の言葉であると同時に、そこには何か自分を責めるようなものが含まれているかもしれない。どんな言葉にも出来事にも、自分にとってプラスとマイナスがどちらも含まれている。そこで、プラス、マイナスどちらかに決めつけようとするのではなく、両義性あるいは多義性の状態を許容する――なかなかそれに「耐える」ことができない人もいるかもしれません――のが文学的態度だと言えると思います。

というかおそらく、この感覚がわからないと小説、とくに純文学というものがわからないと思うんです。エンターテインメント小説ならば、人のふるまいや出来事の意味を単純化することで成立しているところがあると思いますが、純文学では両義性や多義性が重視されていて、出来事をありのままの複雑さで――一方的に価値づけするような表現を避けて――書こうとします〉(227~228頁)

小説によって、各人が自らの置かれた社会的、心理的状況を知るのだ。小説によって、作品中の人物の生き方を追体験することによって、自分を相対化することができる。優れた小説は、例外なく、複数の読み方が可能だ。どんな言葉や出来事にも、自分にとってプラスになる事柄とマイナスになる事柄が含まれている。このリアリティをつかむことが「勉強の哲学」を体得した人には可能になる。言葉のリアリティをとらえることができるようになると、仕事に対する態度も変化する。

〈仕事では外からの要請に従わなければならない。でも、そのなかで、「もうひとつの意識」を持つこともできる。仕事において経験する出来事も、アイロニーとユーモアを交差させながら捉えれば、文学的なものに見えてくる。仕事で目に入る場面を、写真的あるいは映画的な場面と見ることもできる。そういう芸術的意識は、仕事で押しつけられる価値観に単純に巻き込まれず、距離を取って状況を見るということに他なりません〉(239頁)

仕事にのめり込んでしまい燃え尽きてしまうことを避けるためにも、アイロニーとユーモアを体得することが重要になる。その意味で『勉強の哲学』は究極のビジネス書なのである。

(2019年12月15日脱稿)

単行本　二〇一七年四月　文藝春秋刊
「補章」は書きおろしです。

ＤＴＰ制作　エヴリ・シンク
帯文協力　ｗｅｂちくま

文春文庫

勉強《べんきよう》の哲学《てつがく》
来《き》たるべきバカのために　増補版《ぞうほばん》

定価はカバーに表示してあります

2020年3月10日　第1刷
2024年9月15日　第9刷

著　者　千葉雅也《ちばまさや》
発行者　大沼貴之
発行所　株式会社　文藝春秋

東京都千代田区紀尾井町3-23　〒102-8008
TEL　03・3265・1211(代)
文藝春秋ホームページ　https://www.bunshun.co.jp
落丁、乱丁本は、お手数ですが小社製作部宛お送り下さい。送料小社負担でお取替致します。

印刷製本・大日本印刷
Printed in Japan
ISBN978-4-16-791463-9